生命の螺旋　縄の哲学・縄ロジー

アーティストの思索と創造の軌跡

八木マリヨ

淡交社

はじめに――

今こそ実践芸術哲学「縄ロジー」を

現代文明に生きる人類はいったい何をしているのか。止まない非人道的行為や戦争、人為的災害は悲惨を極める。ヒロシマ、ナガサキ、そしてフクシマ原発事故や戦禍にさらされた人々の喪失や壮絶な苦悩、悲しみは消えない。地球温暖化による気候変動はじめ、地球はもう黙っていない。ウイルス感染とも科学の力で闘ってきた人類ではあるが、グローバル社会となった国際社会はパンデミックとなった。

世界のどんな権力者、富裕層も、また民族、宗教の違いがあっても、みんな平等に、生命の危機に呑み込まれている。

分断化や自国ファーストのエゴがますます加速する今だからこそ、新たな価値をどう生むのか――。人類として人類たる道筋を問いただされねばならない。

この現代文明を築いた西洋の人間中心主義から根本的に抜けださなくてはならない。五大宗教を興した時代の人間の精神や生き方から時を経た今日、地球自体の存続まで危ぶまれている。科学が人類社会を支え貧困から豊かにしてきた。芸術も未知なるものへの思索、探求、想像、創造の総合力で、発見・発明し、価値を生み表現する。芸術は社会に不可欠な人間力の賜物《たまもの》であると、わたしは考えている。

太古より、人類の生きる根源に芸術がある。地球の一生物としての人類の叡智と祈りや精神の深淵に触れ、今を生きる芸術として、哲学の役割は大きいと考えてきた。

わたしは生まれ育ってきた環境や直面した事象、さまざまな縁・出会いとともに、「縄」に衝撃を受け、現代美術作品を生みだす過程を通して、「縄」の哲学を実践的に編みだしてきた。それを「縄《なわ》ロジー」と名づけた。自己を見失う現代人が、生きる原点を支える心の柱は何なのか。

「縄ロジー」は混迷する世界と、一人一人の内面世界に新しい座標軸を指し示す。

わたしはヨーロッパ、北米、南米、アジア、日本各地を舞台に「縄の芸術」に取り組んで半世紀になり、その作品は巨大な縄彫刻をはじめ、ときとして三百メートルにも及ぶアースワークもある。イサム・ノグチに師事した芸術家のわたしが、「なぜ縄なのか」「縄ロジーとは何か」と多くの方から問いかけられてきた。

本書は「わたしの人生」と「作品が生まれる背景」、この二つを縄のように撚《よ》り綯《な》うことで、宇宙・生命の螺旋《らせん》から「縄」の根源を解き明かし、「縄ロジー」を浮き彫りにする試みをした。本書もわたしの現代美術作品であり、「縄ロジー」は実践芸術哲学なのである。

この地球に最古・最新の「縄の文明」が弥栄えることを願う。

目次

扉写真　《縄の森をくぐりぬけると…》2011年
撮影：光齋昇馬

八木マリヨ　作品紹介

YAGI MARIYO WORKS

《地軸》1988年　撮影：畠山崇

《産霊(むすび)》1972年　撮影：木村典夫

《地球惑星の臍（へそ）》2012年　撮影：畠山崇
ポーラ ミュージアム アネックス 個展「The Planet Earth & earth 地球惑星にすれば、、、」

《地球惑星の皮膚》2012年　撮影：畠山崇
ポーラ ミュージアム アネックス 個展「The Planet Earth & earth 地球惑星にすれば、、、」

《草の時》1979年 ノードユトランド美術館所蔵(デンマーク) 撮影:畠山崇

上《宙の棲みか／The nest of Cosmic Time-1 & 2》1991－2009年 個人所蔵　撮影：八木夕菜
下《未来の化石》1998－2000年 新考案工法によるコンクリート80ｔのモニュメント

上《Missing Cube 1/4》1992年　撮影：海野隆
下《和泉のコスモス》1993年 貝塚市民文化会館　撮影：海野隆

STUDIO DRIFT
THOMAS LEROOY
TOMÁŠ LIBERTÍNY
TONY CRAGG
WIM DELVOYE

右《NAWA Shrine－マイマイの遊離》ヴェネチア・イタリア 2015年　撮影：八木ジン
上《原始惑星系DNA-912》小牧野遺跡・青森 1991年　撮影：八木マリヨ

上《エコー・オブ・ナワスケープ／The Echo of Nawascape》アイルランド・ノースメーヨー地方 1993年
左《縄の時空》若狭町・福井 2000年　撮影：海野隆

上《大地母神の邂逅》ポーラ美術館・箱根町・神奈川 2020年　撮影：八木夕菜
左《NAWA LINK in カッセル・ドイツ》1997年　撮影：カール・ハインツ

《NAWA Axis for Peace in NY》ロングハウスリザーブ庭園美術館・ニューヨーク州 2014年　撮影：八木夕菜

《NAWA LINK 神戸ルーツ》阪神淡路大震災1周忌　縄・心の絆アートセレモニー 1996年1月　撮影：海野隆

I
縄の衝撃

1 縄との出会い

あの衝撃は一九七二年の肌寒い春のことだった。大学卒業後、大阪のインテリアデザイン事務所に通勤していた。何か虚ろな心になっていたある休日、なんの目的もなく、岡本の家から京都に出かけた。京都駅近く、東本願寺前にある町家を目にし、なんの店ともわからないまま、がらり引戸を開けるとそこは小さな仏具屋だった。入り口横に、よく見かけるなんの変哲もないガラス棚があり、その下段の隅に、擦り切れて古ぼけた太い麻縄が、無造作に押し込められていた。その古ぼけた麻縄を見た途端、頭上に落雷を受けたような衝撃とともに、わたしの身体中の血潮が全身を駆け巡り熱くなった。この電撃的な感覚に驚いたわたしは、その麻縄を指し、唐突にも「これはいったいなに？」と叫んでいた。このようなものをつくる人がいるのかと驚いた。縄であることは知っているのに、なぜ、こんなに動揺したのか。使い古されたぼろぼろの、ただの縄に、なぜ、それほどまでの大きな衝撃を受けたのだろうか。

伝統の山川麻縄工房を訪ねて

ほどなく、わたしは紹介された麻縄師・山川正次さん（１９１４〜２００１／京都市伝統産業技術功労者）を訪ねたのだった。三代目麻縄師の山川正次さんは京都伏見にある民家で実兄の古谷夫妻とともに、神社仏閣用に特別栽培された野州麻《やしゅうあさ》で伝統の鈴縄（鈴緒）や飾り縄をつくっていた。

予期せぬ訪問者にも山川さんは麻縄づくりから手を休めず、怪訝《けげん》そうに「なんの用や」とぶっきらぼうだった。シーンと緊張の糸が張った。おそるおそるも、その日から何回か通ううちに、作業しながら話してくださるようになっていった——京都の松尾大社のご神木の注連縄《しめなわ》も、日本一大きい清水寺の鈴縄もつくったこと、伊勢神宮の雅楽用の太鼓の擦り切れた麻縄などの復元を、資料もないまま依頼された苦労話などを。伝統の麻縄は神社仏閣に欠かせない要《かなめ》の一つなのだと知った。それにしても麻縄の工房が、日本で最も伝統工芸が発展した京都で、わたしの親とかわらない年齢の山川さんと古谷夫妻だけが営まれる工房のたった一ヶ所だということが、少し気がかりになっていた。

工房の作業場には、薄暗い三和土《たたき》の土間があった。ここにレールが敷かれ、レールの両端に手回しの鉄製歯車を取りつけた木組み台車がすえられていた。その両方の歯車の先の三本の金具にロープをかけ、そ

山川正次さんの力を借りて縄の作品を制作　1974年
撮影：ウィリアム・ワード

《The Twine》
１９７２年　野州麻縄　18×２６０㎝
世界のファイバーアートの名著に紹介された縄の初作品。
イサム・ノグチの石彫を手がけた和泉正敏さんのゲストハウス（高松市）にて

れぞれにサイザル麻の芯材をかけ結ぶ（ヤーンと呼ぶ。一つのヤーンを一子《ひとこ》とも呼ぶ。仕上げる縄の用途や太さ長さに従い芯材をつくる）。山川さんは、手わたされた野州麻の緒を二、三枚ずつ、サイザル麻芯ヤーンに巻きつけていく。晒した野州麻の緒は幅二、三センチで長さ一メートル二十センチほどだ。山川さんの手はしなやかに動き、生成絹のような光沢ある麻の緒を、巻きつけるたびにしごくので、衣擦れのような音とともに、薄暗い土間に閃光のように麻の緒が光った。その美しい光景は今も鮮明に目に焼きついている。

　麻の緒を親指で押さえるため、山川さんの親指はことのほか太く平たく、幅広く反《そ》っていた。ヤーンに麻の緒を巻きつける作業では、両端の台車の間隔は完成する縄の約二倍の長さにとられている。三本撚《よ》り縄をつくる場合は、それぞれ三本のヤーンをつくるので、三往復する。長いヤーンの端から端までずっと行ったり来たりの立ち仕事である。そして麻の緒を巻きおわったヤーンに歯車をまわして撚りをかけておく。この撚り加減が難しい。撚りが甘すぎても硬すぎても良くない。ここまでが最も時間のかかる下準備作業だ。

これからがようやく本番、縄綯《な》い作業が始まる。三本のヤーンの先端を束ねて、その端から、栗の木をくりぬいた木型（シンコまたはサルと呼ぶ）をあてがう。同時にレールの両端の歯車台車に一人ずつ乗り、相向きあって、両端からぐるぐる時計回りに歯車をまわす。ギーギーガラガラ、軋《きし》み音が響く。相向きあう二人にとって、各々自分は時計回りにまわすが、相手は反対方向、逆回転させていることになる。雑巾を両端でねじり絞るのと同じ要領だ。それぞれのヤーンがピンと張りつめられていくなか、山川さんは重い木型シンコを持って、ゆっくりと前方へ歩み進む。木型の前方側には三本のヤーンがギリギリと回転して、木型の後ろ側には三本ヤーンがあわさり、一本の縄に綯われていく。縄綯いの回転が半ばに達するころから、回転に加速がつく。

歯車の音も軽やかになると、あっという間に、一気に、縄になる。三人が息を詰め、呼吸をあわせて螺旋回転させながら縄を綯う工程、その一連の流れるようなパフォーマンスはまさに芸術、感動そのもの。遅々として進まない地道な下準備作業のすえ、一気呵成に撚りがかかり、螺旋の姿が生まれいづる。縄が生まれる瞬間は、生みの苦しみ、まさに、子宮から産道を螺旋回転しながら、赤子が生まれてくる瞬間と同じだと直感した。「縄」という生きものが生まれる。それほど感動的な瞬間であるのだ。

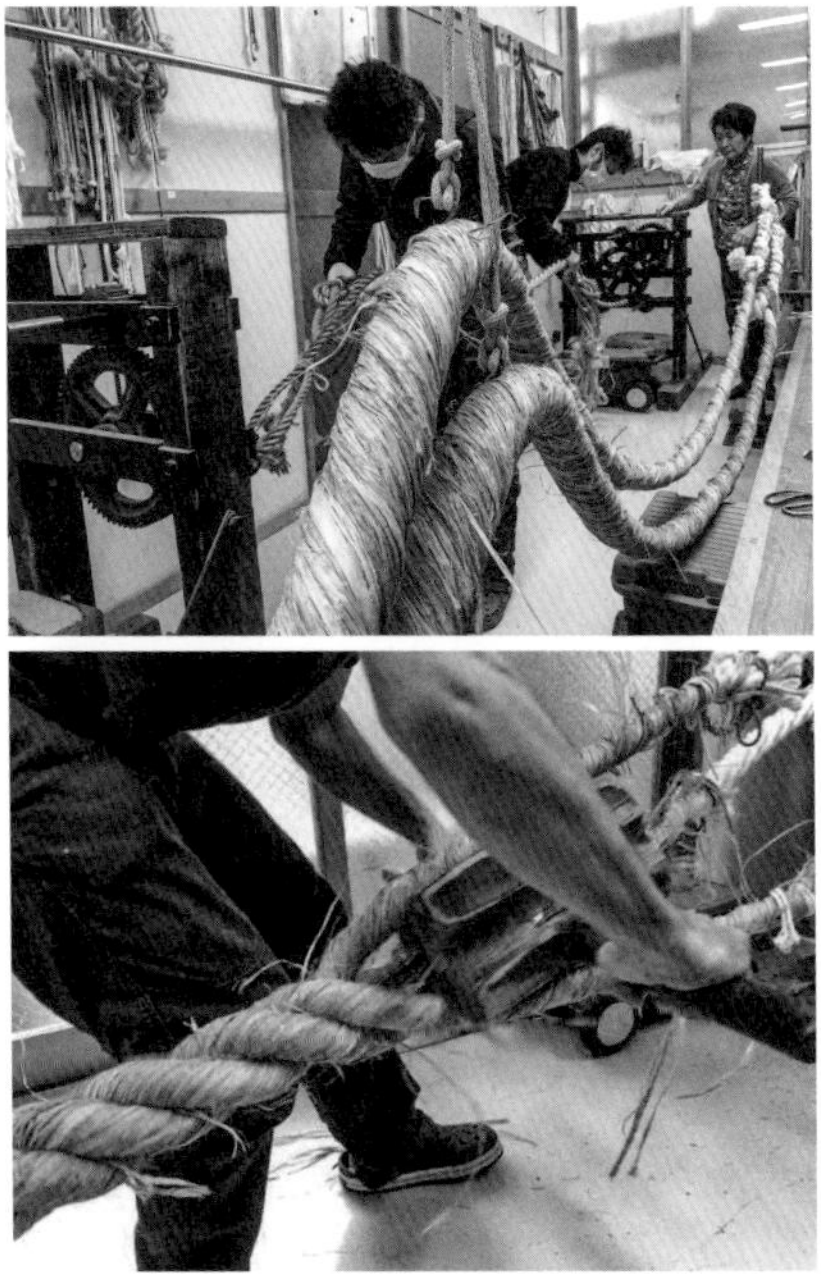

山川の工房にて、縄綯いの作業　撮影：著者

縄の衝撃から生まれた作品

そうして、麻縄に魅せられたわたしは、伝統的な縄しかつくらない山川さんを何度も説得し、初めて、アートとしての縄を綯《な》ってもらった。その初の作品が、一九七二年作《The Twine》。巨石の壁の前に、麻縄を天井から垂直に垂らし、長い麻の緒の房とわたし自身が戯《たわむ》れ、縄房のなかに潜み瞑想するというパフォーマンスだ。この作品は、世界のファイバーアートのかわきりになった名著『Beyond Craft Art Fabric』（ミルドレッド・コンスタンチン、ジャック・レーノル・ラーセン共著）に大きく紹介され、海外でわたしの名前が知られるようになったきっかけの作品の一つである。この縄パフォーマンスは、あの縄の衝撃、縄から発せられた何かを、肌で確かめるきっかけとなったものだ。ファイバー＝「繊維」の、柔らかさと強さを併せ持つ有機性、生きている証のようなしなやかさ、温もり、はるか昔から聴こえてくるような声なき声、悠々とした優しさに包まれる感覚を味わった。この身体感覚を通して、現代の環境や社会の問題を紐解く鍵が縄にあると直感した。自分のなかにある小宇宙、自分を取り巻く宇宙。それは「身体のなかに縄がある、宇宙が縄である」という突拍子もない発想だ。

　次に生まれた二作目が、一九七二年作《産霊《むすび》》（10頁）。この作品によって「生命とは何か」という問いがわたしのなかで始まった。そして次々に、鏡面ステンレススチールと麻縄を組みあわせた一九七四年作《元と玄》や、アルミ鋳造と麻縄による一九七六年作《玄央》（158頁）など、多くのアート作品を山川工房で綯ってもらった。現代科学技術でつくられた素材と古来の麻縄とのドッキングである。今では普通のことだけれど、当時は鏡面ステンレス加工や大型板の溶接は技術的にも大変だった。何よりも、堅牢に加工された、重量も大きさも固さもあるステンレススチールより、たかが縄という縄の方が、強く勝ることに驚

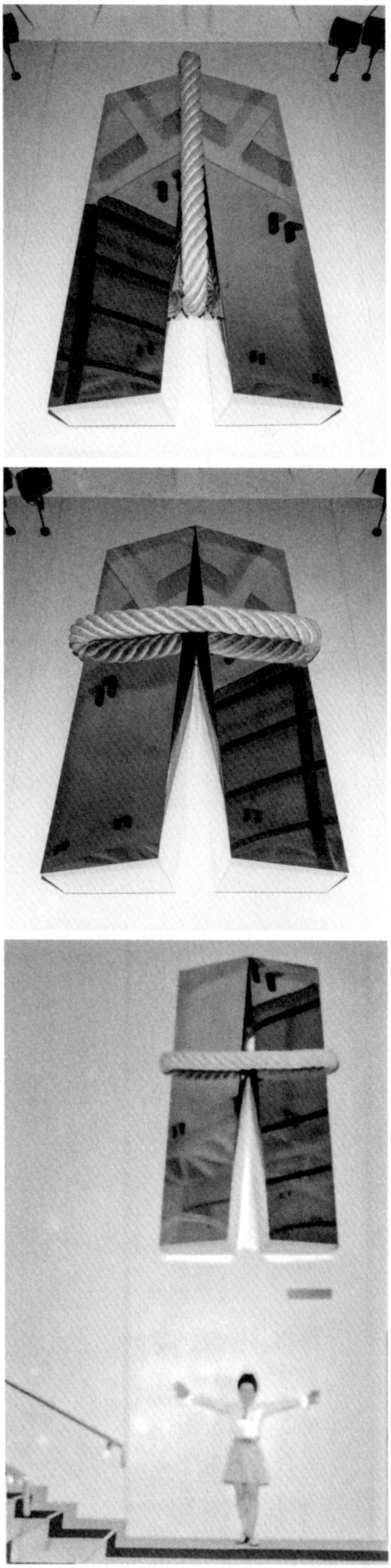

《元と玄》
1974年　野州麻縄、ステンレス鏡面鋼板
藤井寺市立市民総合会館・玄関ホール
撮影：庄野啓

いたのだ。重さ数百キロ、三メートルほどの大きな鏡面ステンレス造形、それは十人の力でもビクともしない、通例の倍の厚みがあるステンレス板であるにもかかわらず、たった二人で、しかもたかだか直径十センチの麻縄一本で結ぶと、ステンレスがしなり始めたのである。縄の威力に目をみはった。たかが縄、されど縄だ。こうして、わたしは伝統にとどまらない現代アートへの試みを始めた。さらに、伝統的麻縄をつくる製法と縄の構造を凝視していくことにもなったのである。

ある日、閃《ひらめ》いたわたしの挑戦的アイディアを山川さんに伝えると、「それはできない。そんなこと今までやったことない。無理だ」。わたしも「この製法は必ずできるはず」と一歩も譲らなかった。それは清水寺の鈴縄より太く、しかも自立する縄をつくるというもの。ついに一九七五年作《The Root／根》が完成し、ファイバーアートの登竜門、第七回ローザンヌビエンナーレに初入選したのだった。のちにこの作品はローザンヌ州立美術館に収蔵され、トムズポーリ財団のコレクションになった。当時、世界のファイバーアートが、祇園祭で知られるゴブラン織りなどのタピスリーという平面作品が主流だった中で、わた

《The Root》
1975年　ステンレス鏡面鋼板、野州麻縄　W193×D140×H400cm
第7回ローザンヌビエンナーレ（スイス）入選。スイス・ローザンヌ美術館
玄関ホールに数年展示後、トムズポーリ財団所蔵　撮影：庄野啓

右3点　1975年
山川正次さんが麻緒を巻く作業と、山川工房にて《The Root》に用いる
太縄の制作風景。4本のストランドが1本の太い縄に綯われていく様子
撮影：庄野啓

しの麻縄と鏡面ステンレスの立体作品は新風を吹き込み、彫刻的ファイバーアートが世界に伝播していった。そして、わたしが編みだした縄の製法によって、縄が自在に立つという、世界で類を見ない現代アートに展開することとなった。

わたしにとって初めてのニューヨーク・ハドラーギャラリーズ個展（一九七七年）のオープニングに来られたイサム・ノグチが、壁面の片隅にあった縄作品《綯《な》うとき》に、眼鏡をかけなおして食いるように見入られたのだった。それは素朴でシンプルな作品で、三本撚り縄にする手前で留めてあり、「綯うという行爲」をアート作品にし、縄を綯うという根源の美を表現したものだった。

イサム・ノグチがとても興味を持たれたので、京都伏見の山川工房までお連れした。また、クリーブランド美術館での国際ファイバーアート展に縄作品の大作三点を出品することになった折に、それを企画したワード夫妻も案内した。そうして「山川」の日本伝統工芸の世界に、世界の現代美術の風が吹いた。長年築いてこられた伝統に埋没せずに、常に創意工夫される山川さんだからこそである。六十歳を超えて初めて現代美術に興味を持ち、真摯にわたしの新しい発想に向きあってくださった。やがて親戚のようなおつきあいになっていったころ、伏見区から中京区麩屋町《ふやちょう》に工房を移された。立命館大学生でアルバイトに来ていた本岡祐二さんは卒業後も続けられ、山川さんが亡くなった後、お孫さんの五代目山川正彦さんと二人で工房を引き継ぎ、今も変わらずわたしの挑戦的な縄の試みにも挑んでいただいている。想えば半世紀の月日の積み重ねである。

草である麻は、数ヶ月前、一年前までは青々と空に向かってそよいでいた。
それが刈られ枯れ死に、皮をはがれいくども水に晒され、しなやかな麻の緒となる。一本の枯れ草は、

上　ニューヨーク・ハドラーギャラリーズ個展会場風景 1977年
下　ニューヨーク初個展にイサム・ノグチを迎えて

はかなく朽ち果てさるが、多く集まり、撚りがかけられ、一挙に縄に綯《な》われると強いものになる。縄は内へ内へと螺旋を描き、ひと山、ひと山、ひと谷、ひと谷、陰と陽が繰り返される。まさに《産霊《むすび》》世界。縄は、限りなく生きつづけようとする力を秘めている。

一九七五年個展のために、次のような詩を書いた。

ものの根の生きづかい
そこから、産まれてくるイメージ
何がわたしに初源的なイメージを求めさせるのでしょうか
生と死の緊迫したものの根の世界を
演出させ、可視化させているものは何でしょうか
ひとつひとつが
内へ内へと巻き込まれていく縄の撚り
ひとつの弱いものがひとつの強いものになるためにか、、、
古代から同じ原理で綯われてきた縄
風雨にさらされ朽ち果てさる縄
燃えあがる縄
強靭な縄
そんな縄に籠められたものの根に
わたしは綯われてしまった

2　生い立ち――阪神間文化に育まれて

しゃがみ込んで砂地に小枝で絵を描いていた。庭の井戸からチャボチャボ、澄んだ水音がわたしを振り返らせた。急に立ち上がって走っていき、背伸びして淵石から井戸を覗《のぞ》く。大きなヤツデの緑葉の影が揺れていた――。

三才のマリヨちゃん

六甲山系の裾野に広がる住宅地域の御影《みかげ》にあった生家での、おぼろげな記憶である。そのころ、わたしのクレヨン画「おかあちゃん」が、具体美術協会（ＧＵＴＡＩ）の創始者・吉原治良が始めた、第四回芦屋児童美術展に入選していた。それは後年、芦屋市立美術博物館学芸員であった現・横尾忠則現代美術館館長補佐兼学芸課長の山本淳夫氏が、吉原治良の遺品のなかの新聞切抜き帳に『三才のマリヨちゃん入選』の記事を見つけて知らせてくださり、わかったことだ。

生家の近所には、御影石《みかげいし》（六甲山系の花崗岩）の石垣に囲まれた家並に、アンデルセン童話に出てくるような赤瓦のヴォールト屋根の洋館や、森のような庭のある朝日新聞社主村山邸香雪荘（後の香雪美術館）、白鶴酒造社主の館の庭の一角が神戸市に寄付された深田池公園や白鶴美術館、小磯良平のアトリエなどがあった。わたしの生家はドイツ人が建てた小さな洋館だった。コルクの床に漆喰の装飾壁、窓は外開き窓や上げ下げの窓で、左右に引く所作をするような引き戸がなかった。当然、床の間もなく畳や障子もない。
幼かったわたしも、やがて遊びのテリトリーが自宅から出て広がっていった。もっぱら遊んだのは大きな楠木《くすのき》。樹の上でドングリを食べ、ふかふかの落ち葉の杜を走り回った。そこは御影郡家《ぐんげ》にある弓弦羽《ゆづるは》神社の鎮守の森だった。急峻な六甲山系の川には大きな台風が来るたびに、信じられないほど大きな御影石が流され、住吉川の河原には、表面がつるつるの巨大な岩がで～んといくつも居座っていた。この巨石を陣取り、写生したり、おにぎりをほおばったり、水遊びの基地にもなった。巨石の温もりを今も忘れられない。

わが家には毎日届けられる氷を入れる冷蔵庫や、手でくるくる回す絞り機がついた洗濯機があったが、テレビがまだなかった。戦後十数年、それはようやく日本経済が回復してきたころのことである。

神戸と大阪の間、すなわち阪神間を結ぶ三本の鉄道は、海側に阪神電車、中間に国鉄が走り、山手側を通した阪急電鉄が六甲山麓に住宅開発をし、独特の阪神間文化醸成に貢献していた。母親が芦屋市立山手幼稚園の教師をしていた都合で、わたしは幼稚園から中学校まで、芦屋へボルドーワインレッド色の阪急電車で通《かよ》っていた。その車窓から住吉川沿いの小高い山に、セザンヌの絵にあるような、レンガ造りのヘルマン屋敷廃墟が見えていた。幼いころ、戦禍の廃墟を探検し冒険ごっこに夢中になっていた。暖炉跡の残る部屋や三階建くらいの高さの煉瓦壁に囲まれ、ぽっかり空が見え、まさにヴォイド空間（空洞、吹抜け）だった。アーチ形の窓から眺めた大阪湾の海は輝いていた。

入選作のクレヨン画「おかあちゃん」

ある日、突然そのヘルマン廃墟が車窓から消えた。いつの間にか小高い山も削られ失われた。住吉川の河川敷にトラックの道路ができ、山土が大型トラックで海まで運ばれる。河川敷はベルトコンベヤーと化していた。光っていた海を埋め立て、山側には雛壇状の住宅地が開発され、四角の家が整然と建っていく。家から歩いて行けた緑豊かな山は、どんどん遠くへ行ってしまった。治水工事、埋め立て工事優先で川は親水性がなくなり、まるでコンクリート側溝と成り果てた。ものが溢れ川が濁った。衣食が足り、使い捨て消費がもてはやされた。電化製品や大量生産規格品も各家庭に溢れ返った。

弥生遺跡が発掘された会下山《えげやま》近くの芦屋市立山手中学校へ通い始めた夏、芦屋浜の水練学校（芦屋水練学校）で、西宮沖までの五キロ遠泳をしたのが最後となり、水練学校は閉鎖された。芦屋浜の海が工場廃油で黒く覆われたからだった。やがて摩耶山《まやさん》の麓にある兵庫県立神戸高校に通うが、遅刻しそうになって急な地獄坂を駆け上るのはきつかった。息切れする朝の授業では、校舎の窓から淡路島、生駒山系から紀州までの大阪湾を眺めるのが常だった。が、どんどん林立する煙突からの赤や紫の煙で、光る海が黄ばみ、霞むようになっていった。

大型トラック、消防車のための道路拡幅、車社会促進のための道路網整備。個々の暮らしには目をつぶり、定規一本で直線に線引きする神戸市都市計画。その計画道路が阪急沿線南側の生家あ

神戸市御影の住吉川沿いにあったヘルマン屋敷廃墟（著者撮影）。京都市立芸術大学で指導を受けた、写真家のアーネスト・サトウに評価された白黒写真

たりを通るので、立退き問題が起こった。御影石の石垣、木漏れ日の桜並木の駅舎、舗装されないままの土の小径……かつて六甲山系の美味しい宮水が豊富で、水鏡に映る神さまの御姿という意味から御影と呼ばれた、その本来の面影が壊され、道路で分断されることになったのだ。母はその道路計画を知るや、谷崎潤一郎の岡本の家近く、猫の額ほどの原生林植生が残る岡本梅林地区に引っ越し、甲南大学学生向けに四階建学生マンションを建てた。当時はそうした事業はまだ珍しく、銀行借入れもスピーディーに返済し、安定した自営業を成し遂げた。母は「大阪人の血が流れているから、七転び八起き、ただでは起きあがらない」と笑い、都市計画道路に対する英断は成功したのだった。

祖父・松阪青渓と母・富枝

わたしの祖父にあたる松阪青渓《せいけい》は、阪神間文化の一翼を担った文化人・編集者で、谷崎潤一郎とも酒を酌み交わす仲であった。その青渓の六人の子供のうち、四人の美人姉妹の末っ子として大阪船場《せんば》で生まれた母の富枝は、「灘の宮水」が湧く、水の良い環境にある阪神間の甲子園で育った。クリスチャン系の神戸女学院を卒業し、大阪西成のあいりん地区の人々を支援する奉仕活動をしたのち、東京の理化学研究所の桜井錠二研究室で、写真化学などの助手をしながら化粧品の開発研究をした。富枝はその様子を、「新女苑」昭和十二年四月号の特集「師弟の手紙」に寄稿している。

神戸女学院生であった母・富枝

　富枝は晩年になって青渓の足跡をたどり、青渓が会員誌「街路樹」を発行・頒布するために結成した「街路樹会」にあやかり、急激に

右　祖父の松阪青渓
左　松阪青渓の著作『上方趣味 茶の大徳寺』

変わりゆく街の風景を憂い「人間のための街路」を求めてその再発足に取りかかったが、間もなく肺癌で亡くなった。六十歳だった。想えば母は、御影の浜辺を埋め立てた工業地帯から出る、鉄溶鉱炉の煙突の紫煙をしきりに嫌がっていた。街路樹会の活動を訴える一文に母は記している。「樹木は公害を防ぎ、人間の健康のためばかりでなく、心の憩いにどれほど安らぎを与えているかはことに計り知れない。我々がこの世からいなくなっても樹木は生きつづける。後世のために身のまわりに樹木を植え育てることはこのうえない贈りものだと信じる」。

さて、祖父の松阪青渓は本名を寅之助といい、大阪朝日新聞社会部記者や文芸教養誌の編集者を務め、船場で茶道具店も営みながら、街路樹社を興して「青い苔」「街路樹」などの雑誌を自費出版し、また髙島屋美術部アートディレクターも務めるなど、上方文化の発展に尽くした人物と評されている。交友関係も幅広く、薬師寺管主・橋本凝胤《ぎょういん》、谷崎潤一郎、佐藤春夫、志賀直哉、岸田劉生、村上華岳らとの交流によって、当時の阪神間文化の社会、特に女性文化を牽引していた。青渓が参画したプラトン社は、ハイセンスな表紙絵、華麗な挿絵やイラストカットなどをふんだんにあしらい、大正、昭和初期の編集デザイン史に独特な精彩を放った出版社で、「阪神間モダニズム」を爆発的に開花させた。それは同社の雑誌「女性」「苦楽」の発行人を引き受けた青渓の人間力がなし得たことであり、東京から大阪、阪神間へ谷崎潤一郎、佐藤春夫、小山内薫らを引き込んだこの情熱的世話人のおかげでもあったといえる。

青渓の活動は、この時期の上方文化の奥深さを語る上で欠かせないとまでいわれる。会員誌「街路樹」の表紙画や挿絵は岸田劉生、村上華岳、熊谷守一らによって手がけられ、誠に贅沢な本物志向の同人誌となった。このように風流趣味人であった青渓は、著作も茶道、華道、古典芸能、史跡、郷土研究など多岐にわたり、文学や絵画など芸術に対する審美眼と洒落たセンスは、阪神間の女性たちに大きな影響をもたらしたのではないかと想像する。また、苦労人の青渓は、推進してきた独創的な編集人力のみならず、アートディレクターとしてのユニークな力、正直さ、情熱、正義感、誠実さ、率直さをそなえた行動力、実行力などが、上方文化において縁の下の力持ち、黒子として貢献しているものとうかがえる。

松阪青渓の研究をされている元芦屋市立博物館の明尾圭造さんが、青渓の遺族としてわたしを初めて訪ねてこられたのは数年前のことだった。また最近では谷崎潤一郎の研究をされている文筆家からの連絡も受けるようになり、母や叔母から聞いていた話や、母が集めた著作物や写真などに加えて、それらの出会いから青渓の歩みをさらに知ることができたのである。

失われゆく心の風土

阪神間文化特有のセンスは、「阪神間モダニズム」から現在も引き継がれている。史跡、古典芸能、文芸、芸術に、外国人居留地に見る西洋文化や、インド、中国の文化などが渾然一体と編み込まれた阪神間の町民文化環境と、山と海が迫りあう、リビエラやコート・ダジュールのような、明るく開けた自然環境によって、熟成し磨かれてきたものなのである。青渓の著作からは彼の人間味に溢れた、豪快かつ繊細な、思いやりと深い真心を感じる。日記抄に「市井の斬ったり、殺されたりする新聞記事を書くのが大の嫌いで、記者生活から雑誌記者となったわけだ」「原稿文を書くより、書いてもらう方がどれだけ苦労か知れぬと思った。どれだけ酒をのみあったか知れない」などと綴り、おそらく主には、関東から関西に移住した谷崎潤一郎との話だろう。谷崎と有馬温泉宿で鯛すき鍋を食したことを綴った「鯛すき」の一節に、「粋な女、おかみさんが花篭に秋草をいけて持ってきた。桔梗、苅萱、女郎花、山の露草いろいろと床におく。こいつは大いにのめると調子に乗って大いに酔った」とあり、大変率直な人間性が浮き彫りになってくるが、わたしが母の富枝から聞いた父親像は、子煩悩で懐深い愛情深い男性である。縁側で庭を眺めながら上半身裸で、涼む父の背中をぴちゃぴちゃすると、ひんやりとして、すべすべ、ピカピカ、広く大きかったと語る。幼かった母の遠い記憶に、孫のわたしはなんとなく羨ましかったことを覚えている。

青渓はわたしが生まれる三年前に亡くなっている。明治十六年（一八八三）十二月三十日生まれで、幼くして両親を亡くしたので尋常小学校の教育しか受けていない。幼い弟妹を育てるために、大阪朝日新聞社の印刷活字を拾う職工になった。そこで文字や文章力を身につけ、旺盛な知識欲と情熱的な感性でひた走るも、風雅を愛した青渓は昭和二十年（一九四五）三月二十一日に六十二歳で生涯を閉じている。祖父・青渓を知るほどに、彼の魂、内面性、心情、精神、思考、価値観、志向、感性、審美眼、そして生き抜く力、生活力が母・富枝の魂に受け継がれて、孫のわたしにしっかり確実につながっていることがわかる。わたしの縄ロジー哲学に至る心の原風景は、先祖代々から、灘の酒のように熟成発酵し、形成されてきたことがよくわかった。

わたしの幼少期から京都市立芸術大学（入学時は京美、卒業時には京芸と呼称）在学のころまでの、戦後復興から高度成長期に至る過程は、第二次世界大戦後、朝鮮戦争、ベトナム戦争、中東戦争など世界各地の戦争や紛争で環境破壊も進むなか、日本は東京オリンピックに沸き、高度成長、都市化の波が押し寄せた時代であった。七〇年安保闘争の一方、大阪万博では人類の進歩と調和を謳い、ホテルや商業施設などに華やかさが競われ、工業製品やプレハブ住宅がもてはやされ、オイルショックが世界を襲うことなど気づかないまま、きらびやかに、おもてだけ着飾った、よそよそしい街にわが故郷も変身していった。このように、ベビーブーム、住宅不足、経済優先、利便性、機能合理主義、消費社会へと加速する時代に、自然破壊が進み、一つ、また一つと心の風土が消えていった。明治生まれの青渓が憂い、大正生まれの母・富枝の憂いは、そのまま変わらずに、今日ここまでつづいている。団塊世代のわたしは何もノスタルジーに浸るために記憶を辿ってきたのではない。その激動のまっただなかに育った社会環境が、わたし自身の心魂に影響し、「縄」に出会うことになった精神の背景なのである。

京都市立芸術大学卒業制作作品《光のママン》　撮影：庄野啓
1970年　FRPライト、アクリル棒　230×180×95cm　神戸の夜景

魂の居処を探し求めて

高度成長の大波、画一的で功利的、表面的な、薄っぺらな街へと変化する都市環境のなかでのやるせない日々。のしかかる生の重さ、この殺伐の世に、なぜ生を受けねばならぬのか。虚無感にとらわれていたある日、旅から帰ると、捨てられた塵のなかに、キャベツの芯くずから青柳色の新芽が溢れるばかりに伸びているのを見つけた。土からも水からも断ち切られた過酷な環境にあっても、何が、かくも生きようとするのか。大気の下、生きものが存在する。大気がなくても存在する生きものもいる。酸素、窒素、そんな問題ではなく、糧を失い、うちひしがれ、捨てほうりだされても、なおも生きようとする力。もっと自然を超えた、生への意志力に目をみはった。も

っと何がしか、この世でのわれわれが、認識することもできない世界や超越した世界が広がっているのであろうと思った。

機能合理性や功利性を求めた現代社会が加速し、表面的に装われた美しい住宅や都市施設がもてはやされた時代。全てが科学技術の発展の大きな波に呑み込まれそうになっていた。本来の科学技術の道から、大事な何かが外れていくような不安。しかし、立ち向かった。そして、「環境は与えられるものでなく、創りだしていくものである　住・柔・自由」のコンセプトで、《うねる穴ボコ壁と床》《三角形の座布団》《光のママン》などの作品を「ＳＤ」誌七一号（七〇年九月）に発表した。

わたしは小学低学年のころになると、働く母が留守や帰りの遅いときは夕食の仕度をしていた。ピアノ、バレエ、英語教室と習い事をさせてもらい自由で楽しかったが、家庭内環境にはずっと不穏な空気が漂っていた。中学生になると気づいた。となりの芝生を見るべきでない。「環境は与えられるものでなく、自ら創りだしていくものである」と、自らが生きる環境、そして社会をつくらねばならない。また、わたしは魂の居処、心の居場所を探し求めていた。

捨てられたキャベツのわずかな残り葉は、腐り果てても、芯だけは生き抜こうとする。このキャベツの芯自体に、何かが働きかけている。心の芯、魂の芯の居処を見つけなくては。

3 産霊（むすび）

心の居場所は自ら創る

「環境は与えられるものでなく、自ら創りだしていくものである」。一九七三年、わたしは、「生きる環境」を自ら創りだしていくコンセプトで、心の居場所を自由にクリエイトできるように、光る糸カーテンを考案したのである。それは、イタリアのディーノ・ガビーナによって、往年の名女優グレタ・ガルボがスイングするムードにちなんで《ガルボ》と名づけられ、世界を席巻する普遍的なデザインとなった。革新的なポエジーがあり、だれでも自在な空間をクリエイトでき、既存空間を変身させられるのである。イタリアグッドデザインに選ばれ日本巡回展で知られたので、東京国立近代美術館にも収蔵された。ちなみに、ディーノ・ガビーナは「日常の暮らしにダダのアート」を呼びかけ、既成概念を壊すダダイズムのマルセル・デュシャン、マン・レイや、マルセル・ブロイヤー、カルロ・スカルパらと、既成の生活空間を変身させる家具や照明具、インテリアをデザインするパラディソテレステレ運動をおこした

右　カルロ・スカルパ、ディーノ・ガビーナと著者　1973年
左　光の糸カーテン《ガルボ》(1973年発表)　1973年〜2007年シラー社製
"パラディソテレステレ"より復刻。2017年、ミラノデザインウィークフォーリサローネにて

奇才、イタリアデザイン界の大御所である。

《ガルボ》デザインのコンセプトは、石壁のように囲い閉ざす空間ではない。わずかな空気の流れで揺らぎ、光る糸カーテンは柔らかく優雅さをかもしだす。まっすぐ垂れる白糸に囲まれ、優しい揺らぎの空間をつくる。障子のように光がさし込み、内外が垣間見える。内と外の曖昧な境界、光と陰を併せ持つ魂の居処、心の居場所を自在につくりだせる。ガルボはソフトなパーティションであり、照明器具の要素も兼ね備えた、画期的なプロダクトとして、まさに、合理性を求める西洋文化に旋風をおこし、半世紀過ぎても世界各地で利用されている。日本で《ガルボ》の原型を発表した時、榮久庵憲司氏や亀倉雄策氏は革新的・画期的だと評価した。丹下健三氏は日本的で好みでないと退けられた。イタリア建築界の大御所のカルロ・スカルパに原型を見せ、紹介されたディーノ・ガビーナは即刻デザインコンセプトを理解したのだった。建築家エミリオ・アンバーツはニューヨークの証券会社インテリアデザインにおいて、固い壁を排して《ガルボ》によるオフィス空間を設計。坂茂氏も《ガルボ》をさまざまな建築空間に取り入れている。舞台、ＴＶセットなどに広く使用され、まがいものまで出まわっている。工業製品であるのに、《ガルボ》は東京国立近代美術館工芸館のコレクションとなった。そうして、わたしはますます経済功利性に走る日本社会の下、はかなく朽ち果てさる有機の世界に惹かれていったのである。

《産霊》作品・魂が座す空間

縄は、限りなく生きつづけようとする力を秘めている。縄綯《な》いの瞬間は、お産の瞬間と同じではないか。当時、未だお産の経験もない晩生のわたしが、生命誕生と同じと直感したのだった。生へのあくなき不思議な力に、生きものの永続性に魅《ひ》きつけられたのだった。

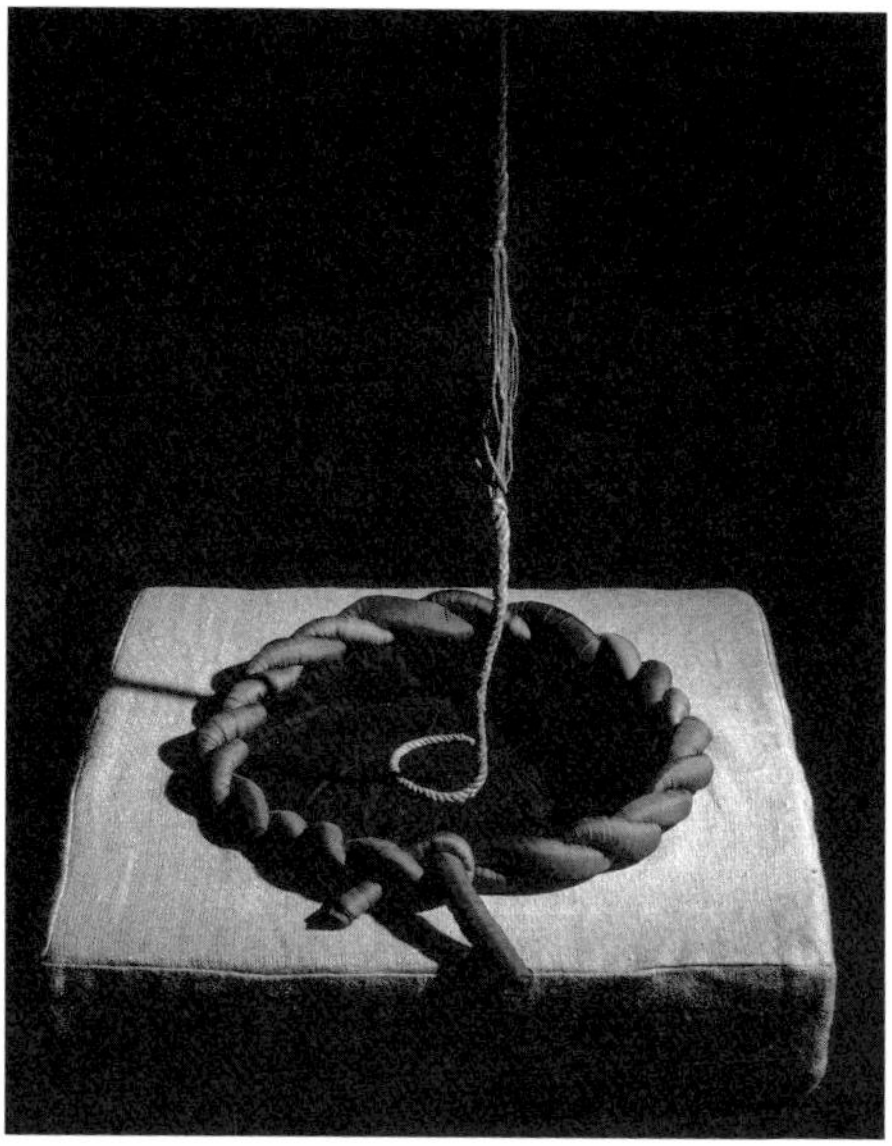

《産霊（むすび）》　1972年　撮影：木村典夫
麻・縄・紅絹（もみ）・麻布・ウレタンフォーム

そのイメージが《産霊《むすび》》作品だ。腹の中に鎮座する産の神、人間の魂が宿る場、原初の間《ま》、自らの座す空間を表現した作品である。わたしの魂が降りたった場であり、自らが基点となる場、自身が存在するのだと自覚する場、天とつながり、地とつながる場。魂魄が座る場。

《産霊《むすび》》作品は、上方から寄り集まって、太くねじれ垂れる朱色麻縄が、途中から多くの細い縄に分かれ、再びその細い縄が束になり、一本の縄となり、三尺四方の真ん中に在る、黒い穴の円座に渦巻き垂れている。宇宙の微小粒子から、生命粒子に枝分かれし、その粒子が寄り集まり、一点をめざすというようなイメージにもなる。黒い円座の周りには土俵のように緋色モミの絹の縄がある。お産の経験もなく、産小屋や産縄も知らなかったわたしだったが、このような作品を一九七二年、無意識につくっていた。

当時、「SD　スペースデザイン」第九四号に「八木マリヨによる部屋」として掲載された。その欄に編集者とのやりとりから、わたしの詩とセレクトした文章が紹介されている。セレクト文章はドナルド・E・カー著『性の生態学』からで、スズメバチの母性を書いているのでここに記したい。

「孤独なスズメバチには、もっと悲惨で恐ろしいできごとがふりかかることがある。スズメバチの雌は、卵を孕むと、クモを見つけて麻痺させ、その体内に卵を産みつけることしか頭にない。しかし、もし目あてのクモが見つからなければ、夏の暑い盛りに大わらわでさがしまわっている最中に、自分の体内で卵が孵ってしまう。

　生まれてくるのは思慮分別もない食肉性の幼虫で、自分の親の子宮だろうが、汁けが多くて、おいしいクモのからだだろうが、その区別もつかず、親のからだの内部を咬《か》みくだきはじめる。そして、雌バチは、突然の死に見舞われる。翅《はね》を硬直させ、肢をまるめ、自分のこどもの餌食となって最期を遂げるのである。だがそのこどもたちも、母親の瘠《や》せた小さなからだには十分な栄養がないから、ついには死んでしまう。」

　壮絶な生と死。生を産み、母となるには、まさに奇跡としか言いようがない。

　ところで、父系の祖母である明治生まれの八木つるの長兄は、日本近代建築のはしりを担った加護谷《かごたに》祐太郎で、奈良県技師として古社寺修復に携わり、国有形文化財建築となった明石郡公会堂（現・中崎公会堂）や、拓殖大学旧本館、浅草東本願寺本堂などを手がけていた。その影響からか、祖母は奈良高等女学校（現在の奈良女子大学）を卒業し、俳人になろうとしていたらしい。俳諧の連句で宗匠となっていた八木力蔵の長男栄吉と結婚し、三人の男の子を産んで成人させた後、信心深い日々から「猿田彦神」の巫女のようになり、いつも背筋がぴんとしていた。その祖母が、九十歳近かったころ、この《産霊》作品を見て、産小屋の産綱《うぶつな》のようだと話した。調べると、昔、妊婦は産気づくと産小屋に籠り、天井から吊りさげられた縄につかまりふんばる。この縄を産綱（力綱とも呼ぶ）という。筵《むしろ》やワラを積み重ねボロ布を敷いた床に、妊婦は膝を折って座り、産綱にしがみつき、陣痛の痛みに耐えながら、力のかぎり縄に拠りすがる。そのように縄に生命を託してお産をしたのだろう。縄は母性本能や生命と深くかかわってきたのだ。

　その縄紐と関連する話で、アルタイルーツを引くエストニアの女性に《産霊》作品を見せると、同地でも昔から産婦は腰に布を巻き、カラフルな腰帯をして、神秘の霊力に託していたと聞いた。わたしの時代でも、下腹にさらしを巻き、大きなお腹を支える腰を安定させて、物理的にも精神的にも安産を願った。「産霊《むすび》は万物を生み、生成させ成長させる霊妙な力である」「陰と陽とが相集まって新しいものを創造する」「天地を始め、世の全てのものは産霊の働きで生まれた」「衰えゆく魂を奮い立たせる力がある」「生命力の象徴であり、死んでもなお、多くの生命を生みだす生命の連続性の象徴」「撚り集まって、ねじれ絡まり、ときに、撚り戻る」「自己と他者を一つにまた自己と他者を切り離す」――このような謂れは、日本古来だけでなく世界共通のように思う。

胎児は胎内の子宮から、頭から螺旋回転しながら狭い産道をくぐりぬけて生まれてくる。胎児の頭は楕円形になっている。産道の狭い部分を通るときは下を向き、産道が広がる部分では横向きに、回転しつつ下降してくる。暗闇の中で、胎児の頭はしめつけられながらも、うつむき、頭が外に出ると、頭をひねるように横向きとなり、そのとき、頭は大きくなる。

螺旋を描きぐるりぐるりとまわり、押しだされるように胎児が生まれた瞬間、その苦しさから解放されたと同時に、産声が発せられるのだ。胎児が未来の世界の扉を開ける体験は、この初めての螺旋回転運動なのである。これは哺乳類である世界人類共通の《産霊》初体験だ。「むすび」は宇宙、万物を産む源なのである。

出産の体験

《産霊》作品を制作してから八年経て、わたしは初めて出産の体験をした。子宮に生命が宿った日から、しだいに大きくなるお腹を抱え、その胎動はまさに命の鼓動だった。腹帯がずれるほどに、膨らんだお腹を蹴りあげる小さな足や、突き押しあげる小さな手の形が浮き出て、お腹にできる人間の手や足のレリーフに感動した。胎児は手足を伸ばすだけでなく、グルングルンとうねり、ときにビクンビクン、コロンコロン、その動きは、まるで水中から鯉が跳ねるようだった。鯉のぼりを揚げる風習の由来はよく知らないが、生まれたのは元気な男の子だったので、なんとなく合点がいった気がしたものだ。

夜明け前、いよいよ待ちに待った陣痛が始まった。陣痛の痛みに耐えながら、しかし《産霊》作品のような緋色の麻縄にすがったわけではなかった。

京都にある産院の殺風景な薄暗い廊下の椅子に座って、子宮口が開くのをひたすら待っていた。押し寄せる波のように襲う痛みが数時間つづき、大波に打ちのめされそうになったとき、産婆と医師が立ちあう分娩室につれていかれた。ところが、説明もないまま酸素吸入器を口に当てられ、胎児がいよいよ産道を下降してくるクライマックスには、意識朦朧となっていた。「おぎゃあ」の第一声で、我に返った。あの産綱の縄に、自らの、あらん限りの力をふり絞り、すがり、ふんばるのとはほど遠く、なんと酸素吸入器をつけられたまま、だれにも手をも握ってもらえもしなかった。一九七九年五月のことである。螺旋にねじり回転しながら生まれてきたかどうかの実感はない。普通分娩で体重三千四百五十グラムの、小柄なわたしの身体にはとても大きな男児誕生だった。

翌年、二度目の出産では、神戸の実家で昼ごろから産気づいた。一歳二ヶ月になったばかりの息子を母に預け、病院に出かけようとしたが、急に母の容態がおかしい。母は陣痛を遅らせられないかとまで訴えた。生まれようとする胎児と、生まれ出《い》づるのを待てという母。

わたしは引き裂かれるような想いで、病院に入ったのはもう夕暮れ時だった。広くがらんとした分娩室の分娩台に横たわり、頼れるのはキラリと光るステンレスの手摺り。そばにはだれも、看護師すらいない。よじれる強烈な痛みが押し寄せていた。冷やっとするステンレス手摺りを両手で握りしめ、ひたすら我慢ならない痛みに苦しんでいるとき、ふいに医師が入ってきて、「あっ、しまったな。あなたは小柄。もっと前に処置をしておけば良かった。今さらどうすることもできない。まだまだ生まれないな」と吐き捨て、重い鉄のドアがバターンと閉まった。残されたわたしには、大きな部屋の隅っこあたりで、一人の看護師が水をじゃあじゃあ流している音だけが聞こえていた。

　奈落の底は、ひと気もなく、なんとも冷たい。よりすがる温もりも匂いもない。これが現代医学のお産なのだろうか。ひとり置き去りにされたわたしは、思いっきり、下腹に力をこめて息を吸い込んだ。お腹の子に、さあ今よ、一緒に。渾身の力をふり絞り、唸り声を出していきんだ。すると、するっと何かがすべり落ちた。わたしは叫んだ。「生まれた」。看護師はわたしに声もかけずに、どたばたと部屋を出て行き、医師とともに戻ってきた。その間、母子は置き去り。よくぞ無事に、胎盤にくるまれたままの赤児は、自力で呼吸の瞬間をクリアしてくれたことか。よくぞ、わたしの陣痛と心痛の悔しさでいっぱいのクライマックスに呼応し、一緒に息をあわせ、孤独な産道を、勇気みなぎらせ、ここぞとばかりの満身の力で、飛びだしてきてくれたことか。体重三千三百グラムの女の子誕生だった。

産の忌、生死の瀬戸際

　一週間後、無事退院し実家にもどるや、母はついに倒れた。肺癌末期、転移性脳腫瘍だった。即刻、手術を受けたが、自宅療養ののち、娘誕生から五ヶ月、梅林に初の風花舞う暮れ、旅立った。

　戦後、大正生まれの母が自宅でわたしを産んだのは二度目のお産だった。母が産室とした居間で、わたしが生まれた当時の様子が、わたしの心に映像となって映しだされる。生家である洋館の家は、ほとんどの部屋の床がコルク敷きだった。唯一、カーペットのように畳を敷いていた居間の真ん中に、洗いざらしでこなれた柔らかいボロ布を、たくさんまわりに敷いて、母は横たわり、まだ年若いお手伝いさんの歌ちゃんに、お湯を沸かさせていた。七草粥も終えた宵えびすさんの日、湯気立つ部屋でも寒かった。産婆さんの立ちあいもないまま、母は生まれ出たわたしを、すぐに柔らかいボロ布で包んで、そして、へその緒を切り、産湯で身体を洗ってくれた。わたし自身も母とともに、力をあわせ、ひとりでこの世に生まれ出てきたのだった。産気づいた母は、父に産婆さんを呼ぶように頼んだが、父は走ったかどうかは知らないが、産婆だけでなく、浜辺に住む祖母をも呼びに行ったので、生まれる瞬間に間にあわなかったのだ。わたしの娘は母と同じ干支で、娘も、わたしも同じように、助けを借りずに、ひとりで生まれる巡りあわせとなった。

大正生まれの母は、クリスチャン系幼稚園から女学校に通い、西宮甲子園で育った。大正、昭和前期、欧米流衛生知識の普及するなか、地方には、まだわずかに残っていたであろう産小屋も産綱も、産婦が三尺四方すなわち九十センチ四方のワラ敷きに座り、ワラ束にもたれて産む座産や、その三尺四方周りに、注連縄《しめなわ》を張る慣習も知らなかった。大正末期には、村のコミュニティーに共同の産小屋があったが、しだいに取り壊され、村の産婦たちは大きな樹木の根元で出産したそうだ。大樹によりすがる。縄によりすがる。これは単に物理的、生理的な事柄だけでなく、精神的な意味が深く潜んでいると思う。

忌《いみ》、穢《けが》れの考え方。産《さん》の忌、死の忌。霊の世界をより身近に感じる暮らしが昔はあった。魂の奥から出てくる声に、素直に従える感性があった。霊的世界や生命の根源と通ずる心や感性が培われていたのだ。千年、百年樹もの大樹は、はるかに人間よりも、昆虫、鳥、哺乳類、微生物その他、多くの生きものの在りようも見ている。太陽や月や星の運行もじーっと見ている。いにしえびとが大樹を神木と崇めるのも、自然の理だ。自然、循環、転生、輪廻の世界に何かしら寄りそい、「力」をいただく。縄は生命力の象徴であり、限りなく生きつづけようとさせる力があり、衰えゆく魂を奮い立たせる力があることを、無意識に自然に感じ取り、人は拠りすがったのだ。

子宮という宇宙へ

流産はもとより、昔は嬰児の時に死亡するものが多かった。母子ともに命にかかわる危険をともない、生と死が紙一重でもあった。

生をさずかる。いったいどこから生はやってくるのか。生の世界、死の世界。

妊娠というより、「命をさずかる」という言葉のように、えもいわれぬ不思議な感覚になるものだ。その感覚にもまして、わたしの息子も娘も、それぞれ個々に、父親が誰であろうと関係なく、わたしをめざして生まれてきたのだと、大人になってからでも、真顔ではっきりと言う。精子と卵子といった生理医学的なことではなく、彼らはわたしの子宮という宇宙に、まっしぐらにやってきたのだ。不思議にも、彼ら自身の根本的存在、生命の根源、生命のアイデンティティーを、確信に満ちた様子で話すのである。期せずして、二人とも明言する事実は、きっと真実なのだろう。《産霊《むすび》》作品が示したように。

「産霊」と言う霊妙なる力によって、わたしを母として選んでくれたのだ。いわば、生まれる前にいた霊界、魂の世界か、はるか宇宙の彼方から、人間界にやってくるという想念を、はるか昔から人類は持っていると思われる。

目に見えぬ生と死の際どい世界への畏敬は、どの民族も人間が持つ自然なイメージのようだ。縄文遺跡

《産霊　ふたつ》 1972年
古絹縮緬・古丸くげ紐　撮影：庄野啓

にも嬰児を弔《とむら》ったとみられる土器もある。また、腹のなかに鎮座する産神《うぶがみ》をイメージできるような土偶もある。わたしは思う。産神は常に在るのではなく、それこそ草木虫魚を始め、あらゆるものや場に、降りてくるものであるのだと。

　母体の子宮は神が降りてくる空間だ。子宮はまさに毎月、生死の瀬戸際を行き来しているではないか。生死の連続、これほど霊妙なる空間は他にない。産神さまは、嬰児が生まれてくるまでの道のりを守ってくれる。母も嬰児も共に、押し寄せる不安から救ってほしいと、願う祈りから信じられたのだろう。そのような守護神だけでなく、霊界、魂の世界、虚空の世界、宇宙から、彷徨《さまよ》う生命の粒子のなかから、たった一人の特定の子宮をめざす生命粒子を導き、連れてきてくださるカミだと思う。

　息子と娘の明言、「八木マリヨを母に選んで生まれてきた」には、導きカミの存在も考えられるが、彼ら自身という生命の粒、それ自体がカミでもあるとわたしは考える。生命を授かるという意味は、子どもたちもみんな、自身も含め、わたしたち一人ひとりの生命の魂がカミなのであるということだと思う。

胎児誕生の道のり　螺旋回転　へその緒

　生物学、解剖学者の三木成夫著『胎児の世界』には心に迫るものがある。本書によると――人も、へその緒が切れる以前から、原初の生命の記憶が生まれながらにしてそなわっている。太古からその体の中にえんえんと次々に取り込まれ、蓄えられ受け継がれてきた。胎児の顔に漂うもの――それは動物のおもかげ。受胎から、三十日からわずか一週間で、魚類のおもかげからあっというまに、爬虫類に変わり、やがて哺乳類に向かっていく、海から陸へ上陸する十億年の労苦が再現される。受胎七十日をピークにやっと人間の赤ん坊のおもかげに移っていく――というのである。鶏の卵から胎児の解剖によって、生命の歴史と生命進化の実態を語るこの著作は、荘厳な生命の鼓動を伝えてくれる。

折しも、二〇二〇年夏、初孫が誕生した。水をたたえた子宮に生命が宿った形は、タツノオトシゴのような魚の姿やヒスイの縄文勾玉とそっくりだ。その胎内のエコー画像の成長展開から、生まれて間もない赤ん坊の顔の相貌、その表情を見て、壮大な生命、DNA二重螺旋遺伝子のもたらす宇宙を感じることができた。生後数日の赤ちゃんの突然のしかめ面や天使のような微笑《ほほえみ》など、なんとも不思議な七変化をする、表情豊かな寝顔に見惚れあきない。赤ちゃんは母体に宿るや、三十数億年の旅からどんな体験をくぐり抜けてきたのだろうか。想像はつきない。

胎児誕生の道のりで、螺旋回転に耐えられるように、へその緒も螺旋状になっている。母から栄養分をもらっている唯一の管が、へその緒だ。へその緒が、まさに母と子の最初のつながりの螺旋状の管だ。もちろん嬰児が羊水の中で、へその緒に巻きつかれないように、自由に動き、それにあわせて、伸び縮みできるように、いわば、アサガオやヒルガオの蔓《つる》のようになっている。

産声の一声からしばらくして、母と結ばれ、つながっていた、へその緒は切られるのだ。これが「自己と他者が一つ」になっていた時から、最初の「自己と他者の切り離し」体験だろう。

ゲーテの詩を引く。

われは臍の緒にて
世界より養分を吸う。
われを胸に抱く
四囲の自然の輝かしさよ。

波はわれらの小舟を
櫂の拍子に合せてゆさぶり、
雲をまとう山々は
行く手にわれらを迎える。

（「理想」593号所収、芦津丈夫「母なる自然――『湖上より』初稿をめぐって」より）

いのちが生まれる。母と子の大いなる温かい結びつき。母より養分を吸う。母なる自然から養分を吸う。優しく抱かれ揺られる。ラララと揺かごに揺られ、山々の生気に包まれ迎えられる。胎内の羊水、世界の水、湖、海、循環する大気、みな吾をつつむ。遥かなる大自然に抱かれ、とても心ひろがる詩だ。

万物の根源に螺旋あり

生命の流れ、この循環する宇宙は、へその緒から始まっていることに感銘を受ける。しかも、へその緒がヒルガオの蔓のように、螺旋状の形なのだ。ゲーテは『植物の螺旋的傾向』論文に、このゲーテの緻密な植物の観察によって、生命活動の根源には螺旋的傾向があるとしている。ヒルガオの螺旋成長や花弁の螺旋配列、まっすぐとみられる杉の木も、太陽の動きを追って、植物の生長は垂直の方向に螺旋を描く。わたしの好きな老杉は、年齢とともに樹肌が分厚くなり、たくましく悠々と螺旋の溝を刻み、雄大に螺旋回転しながら、うねり伸びゆく姿は実に神々しい。

わたしはふと、幼いころの体験や経験したときの心の風景、心象の記憶を思いだした。実は小学三年生のころ、夏休み自由研究で庭にスイートピーの種を植え、小さな自分より背丈が高く、二メートルほどにも蔓が次々に伸びていく。その成育を毎日観察し、スケッチ絵と成長日誌でまとめたのだった。スイートピーが蔓を伸ばし、蔓から伸びる子葉からの巻きひげが近くの蔓に絡み、くるくる螺旋状に巻きつく。毎日、毎日展開する、くるくる巻きが可愛かった。巻きひげが絡み、パステルカラーの花が咲いてしぼみ、やがて豆、種ができる。なぜスイートピーの観察を自由研究に選んだか記憶が定かではないが、クラスで高評価の五重マルをもらった。はなはだおこがましいが、幼いながらもゲーテの観察した植物の螺旋表象に、無意識に少し通じていたのかもしれない。

　人間も動物もまた植物も、森羅万象、同じ螺旋が根源にある。人間も、へその緒や内臓の管から頭のつむじ、指紋も渦を巻き、植物と同じように螺旋形状をなし、極微の原子核までの渦巻き、二重コイルというDNA遺伝子も螺旋をなす。天体の動き、太陽の動き、地球の動きも螺旋、人間は宇宙の螺旋運動と切っても切り離せないことがわかる。万物は流転し、一体となっている。代謝のリズムもみな、宇宙のリズム、螺旋運動のシステムと一体であるのだ。これが生きもの全体に、人間もその生物として、生まれそなわった生理なのだろう。人間は宇宙のひとかけらにすぎないことがわかる。そして螺旋の動きは宇宙や生命の現象だけでなく、何か心性、人間たる所以の精神の深淵に影響し、真理を追求する道へ導いているとわたしは考える。現代人よりはるか古代の人は、自然のなかにどっぷり浸透し、そのリズムと共に暮らし、宇宙を感知するセンサーが働き、身体感覚、霊的感覚で、「むすび」、産霊を霊妙なることと見たのだろう。

　植物は大地・地球から養分を宇宙へ吸い上げる。わたしも、足元から地球の養分を吸い上げ、つむじから宇宙へ通し、宇宙の養分を地球に届ける導管だと思っている。わたしは、降りてくるもの、上がってくるものの往来を感じていた。やがてわたしは導管として、疲弊する地球に尽くしたいと願うようになっていった。

身体と作品、身体性パフォーマンス

わたしが一九七二年に《産霊《むすび》》作品をどのように生みだしたのか。年月を経てあらためて、宇宙からへそへとつながる、生命の根源に閃いていたとは、自身に驚くばかりである。当時を思いおこしても無意識だった。なぜ、どこから、どのように、作品のイメージができ、どのようにして形ができあがってくるのかわからない。説明できない。何かモヤッとしているのである。作品は理論や説明によってつくられるものではない。自分でもよくわからないのだ。ふと、イメージが湧いて来る。わたしは、どのような素材や構造でつくるかを考えるだけのこと。

当時から、作品が完成すると、必ずその作品と向きあい、作品自体の「ものの根」「ものの音」を聞くことが、わたしにはとても大切なことだった。そのモノの根は何を語り、何を伝えようとしているのか。ときには、直かに感じとるため、触れたり座ったり、包まれ、内に入ったり、いつしかそこで、作品と一緒に踊っている。わたし自身の身体を通して、何かを感じとろうとしていたのだ。舞台や特別な場所で見せるという意図はなく、モノの根から学び、わたし自身を純化して初めて次への創作のステップを、踏みだせるというようなものだった。

それをニューヨーク美術関係者から、ハプニングとかボディーアートだとか呼ばれたのだが、合点はいかなかった。当時はパフォーマンスアートが現代美術のジャンルに、まだ明確に生まれていなかったのだ。
そのころ、ドイツのカッセルで、ファシズム、優生思想、断種法、「退廃芸術」の弾圧などといった〝ドイツ〟イメージから脱却をはかるため、国際現代美術展としてドクメンタ展が開かれ、一九七二年第五回ドクメンタは「アートとは何か」を問う、ドクメンタ展としてもっともインパクトの大きなものだった。「だれでもが芸術家、自身のアイデンティティーを原点に」というヨーゼフ・ボイスが大々的にとりあげられ、インスタレーションやパフォーマンスがおこなわれた。ヨーゼフ・ボイスによってパフォーマンスアートも確立されていったのではないだろうか。

ちょうどわたしは第五回ドクメンタを見に行くチャンスに恵まれた。イサム・ノグチと、ヴェネチアビエンナーレに行き、イタリアの大御所建築家カルロ・スカルパや詩人のエズラ・パウンドに出会い、勧められたのだ。そうしてヴェネチアから、ひとりで列車に乗ってドイツのカッセルへ向かった。運良く、ドクメンタのメイン会場で、大勢の観客越しに、あの帽子をかぶるヨーゼフ・ボイスのパフォーマンスを直かに、垣間見ることができたのだった。しかし、芸術家自身がパフォーマンスを行うこと自体は同じだが、わたしがおこなってきたパフォーマンスの意味とは異なっていると思った。

1970年代半ばより、個展会場や屋内外でおこなったパフォーマンス。上から、東京・村松画廊にて（1975年）、琵琶湖畔、TVスタジオにて（いずれも1978年）
撮影：松本正司

《草の時》を中心に据えた、即興パフォーマンス（1982年）　カッセル・ドイツ
第1回ドクメンタ並行展会場にて　撮影：エル・アタール

そののち一九八二年、エジプト系ドイツ人コミッショナー、エル・アタールによって初めて、第七回ドクメンタ展と並行して第一回「K18メタモルフォーゼ」国際展が開催された。五年に一度開催のドクメンタ現代美術展は、白人が選出する西欧中心の偏りから、アジア、アフリカなど第三世界の作家をとりあげる機運の始まりと反響を呼び、以後、並行展が毎回、注目されるようになった。

わたしはその第一回ドクメンタ並行展に招待され、《草の時》（13頁）を出品した。エル・アタールはぜひ、会期中にパフォーマンスもおこなって欲しいと申しだされた。そして、わたしにとって初めての、ヨーゼフ・ボイスのように大勢の観客の前で、作品のインスタレーションワークとともに、観客に訴えるという意図をともなったパフォーマンスをおこなった。

作品が生まれる経緯、芸術的「閃き」は、無意識に宇宙の螺旋廻転とシンクロし、降りてくるのだろうと想う。息子と娘が話す生命のアイデンティティーの真理が示すように、万物生成する力、モノの根源を産みだす力、想像の力、創造の力は、宇宙のへそとつながったまま、嬰児が選んだ子宮から、螺旋廻転し生まれてくるのだ。根源に螺旋回転がある。そして縄も、この螺旋廻転しながら生まれたものなのだ。このような経過から、しだいに、生命遺伝子、二重螺旋構造は、なぜ二重であるのか、そしてその二重が向きあう間に中空があるという、その中空構造に注目していった。

II 縄と生命

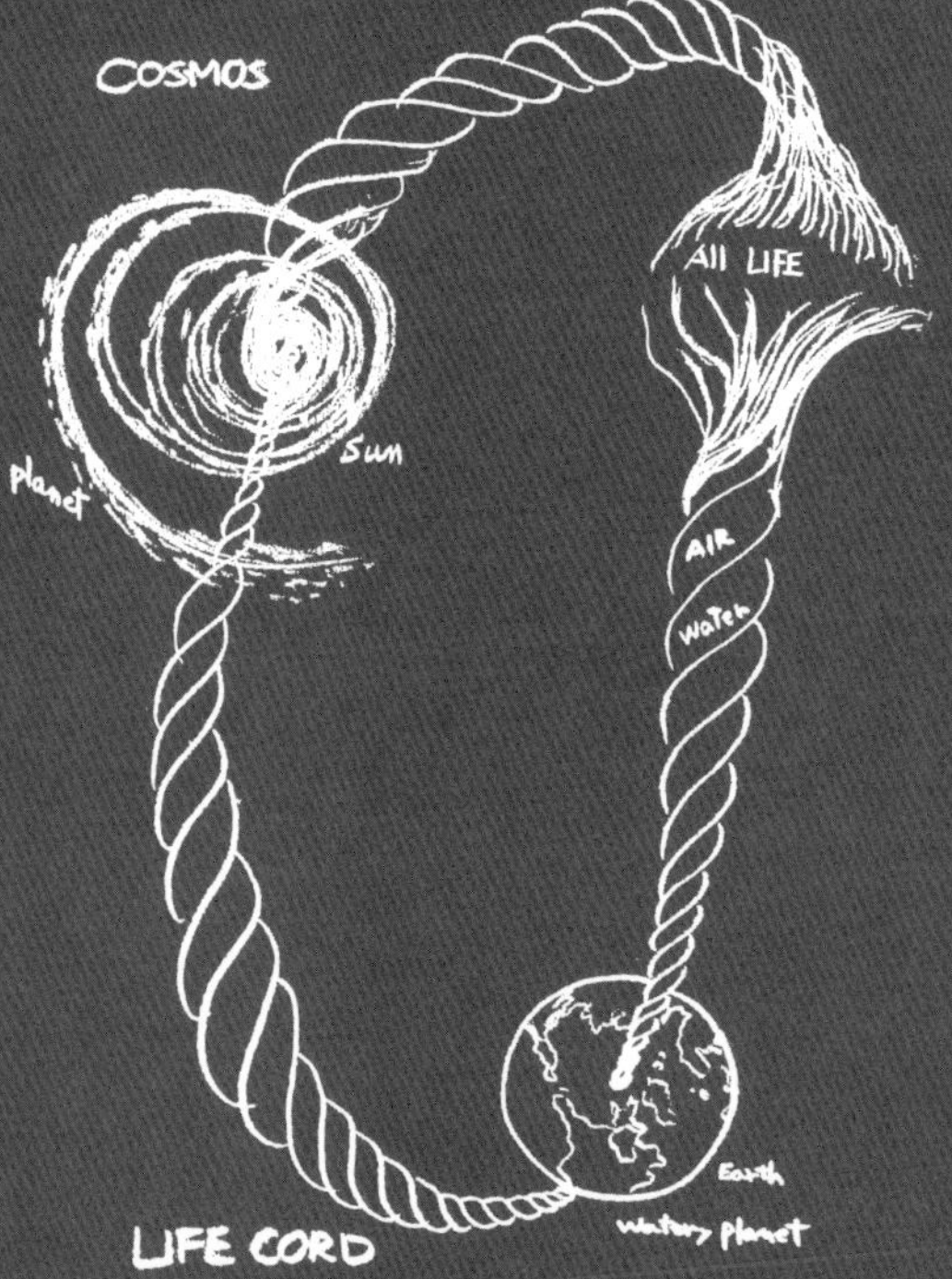
COSMOS
All LIFE
Sun
planet
AIR
Water
Earth
watery planet
LIFE CORD

1　螺旋への誘い、螺旋のコスモス

古モンゴロイドの世界観

　一九八七年、砂漠気候風土のオーストラリアのアボリジニ族の住む地を熱気球で飛び、また八九年には十年ぶりにアメリカインディアン、ホピ族、ナバホ族の住む、砂漠、ステップ気候風土のアリゾナ、ニューメキシコの地を、女一人で、わたしの子ども二人と友人の子ども三人の総勢五人をつれ、道中、鍋や寝袋を買い足しながらライトバン車で無謀な旅をした。進めど進めど地平線は次から次へと逃げ遠くに行く。グランドキャニオン、グースネック、メサ・ヴェルデ、地層の隆起、割れ目、褶曲《しゅうきょく》などおかまいなしに、どこまでも一直線の土砂道を突っ走るしか、休息の寝床は見つからない、成りゆきまかせの旅だった。

　ずずっと乾ききった赤い土砂が崩れる。何億年と堆積し侵蝕した地層から、木や貝の化石がごろごろ出てくる。神様のどろんこ遊びのような地球四十六億年創成の歴史を物語る大地は、陽光で紫紅色や黄橙色へと変わる。灼熱の太陽に焦がされた大地に露となって消え失せてしまいそうな壮大さだった。逃げ水のなかから蜃気楼のように現れるトレーラーやトラックをはるか前方に見つけると、「ああ、ここは人間の生きる地球だった」と我に返る。

　暑さで頭がぎゅうぎゅうに縛られガチガチになった状態から、いつの間にか空白の状態になり、大地と空の境界の隙間に吸い込まれ飛んでいく。空と大地が一体になり空が手につきそう。その立役者は雲だ。

雲が大地に影を落とす。雲の影、曇っているからとがっかりすることはない。地平線までつづく大きな雲でも、その上から太陽がさしているから、雲の影ができるだけのこと。雲の上にはおひさまがいつもいる。まるで影踏み遊びのように雲の影を追って走る。はるか地平線の向こうの雲から白いベールが降りてくる。近づく雲から白い糸が降りてくる。ぽつり、透きとおった雫《しずく》、雨だ。ホピの詩に「雨はスパイダーウーマンが白いベールを編んだ」とあり、昔のインディアンの人々は空を父、大地を母、その子どもを人間と信じた。土壁の家を築き、天と地の境のない暮らしをしている。

またあるとき、内モンゴルを旅した。ユーラシア大陸、地平線のうねり、走れども空と平原が広がるだけのゴビ砂漠、モンゴルの春は遅い。柳やポプラの街路樹が芽吹き始め、午後になると決まって砂嵐が襲い、黄砂で三メートル先も見えなくなるほどだ。スカーフで顔や頭を覆わなければ過ごせない。

モンゴル人が乾燥しきった平原のなかに青々と茂る緑の一画を見つけ、青城と呼んだ地がフホホト。北の大青山から見おろすと、なだらかに広がる平原稜線、その風景に沿って土草壁の家並が、あたかも大地から隆起したかのように林立している、フホホトの市街地が広がる。北から吹き荒れる砂嵐や寒さを遮《さえぎ》るため、街路樹や土塀で囲い、南側だけ開口されている家並群。酷暑のときも土壁の家は土蔵のようにひんやりしている。厳しい自然のなかに溶け込んで暮らす、自然と人間の営みがある。アメリカインディアンの暮らしも、内モンゴルの暮らしも共に、人間の叡智で自然の風景に同化している。さらに自然のなかに螺旋への誘《いざな》いと見る、人間の暮らしがあった。ニューメキシコのタオスのプエブロ族が建てた、土とワラと木でつくる泥土壁の住居の柱は、わざわざ螺旋状の縄に彫刻された、縄柱の列柱であった。

オーストラリアのアボリジニ族が住む、エアズロックのある聖地には直径一キロメートルはあろうか、渦巻き螺旋の地紋様が乾いた土地に描かれていた。娘と息子の三人で乗った熱気球から、鳥たちのように

エアズロックにて、息子の仁と娘の夕菜（1986年）

大地を見おろしたとき、その渦巻き螺旋の地紋様の表現から直感的に閃いた。それは水。水紋。地下水が湧く印ではないか。

温帯湿潤気候の島々が連なる日本は、山や海の霧に包まれ、水に恵まれ豊かな植生に恵まれ、動物たちに楽園をもたらす。世界最大の暖流である黒潮と、寒流の親潮がぶつかり、海がもたらす恵み溢れた風土。地球上でも稀に見る穏やかな自然に恵まれている。森林を敬い、人が住むエリアは細やかに手を入れ耕し、里山の自然を生む。人間と身近な自然との共生の文化が生まれた。

一方、ユーラシア大陸、アフリカ大陸では、広大な森の原生林を伐採し、焼畑、農耕地を開拓したことで、緑色がはぎとられ、黄褐色、黒褐色、赤褐色の素肌地が露呈した大地は、さらに砂漠化が進んだ。その地の人間は動物を家畜化させていくことになる。過酷な自然のなかでは、やがて自然搾取や自然破壊をしていく人間社会がつくられていった。しかし、プエブロ族や内モンゴルの人々は、様式はそれぞれ違うが、日本と同じように環境や風土にあわせ、風景に同化する暮らしを営んできた。農耕社会を築いてきた古代インディアンは、天に手をつけ、地に足をつけ、自然界と人間界をつなげる世界観を持ち、天は父、地は母という教えのように、親を敬うように自然を敬い、自然と共に暮らす人間の知恵や教養を身につけ引き継いで、生きてきた。日本の縄文やアイヌの文化に同じ世界観が根づいていたのは不思議ではない。古モンゴロイドの大移動で日本列島、南北アメリカ大陸、環太平洋諸国へと拡がる、またオーストラリアのアボリジニとも通ずる民族共有の感覚だったのではないだろうか。

螺旋の時空

水紋、波紋、渦潮、蛇行川、水の流れ、ハリケーンや台風、竜巻、煙や炎の上昇気流、大気の循環、大地のうねり曲がる褶曲、樹々のうねりや蔓植物、蛇のとぐろ、トナカイや山羊の巻角、アンモナイト、蝸牛や巻貝、指紋やつむじ……、自然のあらゆるところに渦巻螺旋が現れている。古代から人間は自然のなかでの体験から、この螺旋への共感はあったはずだ。銀河の渦、天体の自転と公転が描く螺旋の軌跡、星や月のリズム、森羅万象のこの螺旋のドラマに敬虔に臥《ふ》し、畏《おそ》れ、抱かれ、感動と祈りのある暮らしの根源はみな同じであったと思う。

自然に共感し、自然の一部や一員であるとして共存の道を歩めてきた人。かたや、自然に対抗し人間優位に打ち勝つ努力を重ねてきた人。どちらの祖先も森羅万象の螺旋に誘われてきたことは事実としてある。螺旋廻転、螺旋の動きは人類にとって、単に宇宙や生命の現象だけでなく、何か精神性、人間たる所以の精神の深淵、真理を追求する道へ導いているとわたしは考える。「身体のなかに縄がある、宇宙が縄である」。さらに螺旋廻転によって生まれる縄について掘り下げていこう。

巨樹の「気」

何の変哲もない普通のただの縄だったにもかかわらず、大きな衝撃を受けた、その縄との出会いから、わたしは縄の持つ不思議な力に綯《な》われてしまった。このとんでもない感覚的概念「身体のなかに縄がある、宇宙が縄である」によって、人類共通の螺旋への思いを紐解く道を歩むことになった。それはまず、初めに、わたしの原風景にあったのではないかと想う。

わたしの原風景は神戸市東灘区御影の深田池沿いの敷地にあった大きな松の木だ。二、三歳ごろのおぼろげな記憶が浮かぶ。働く母の帰りを待つあいだ、いつも一人で松の木のそばで遊んでいた。太い幹は何層にも重なる樹皮の形が渦のような形で、水紋が揺らぐように、うねり曲がり、どれも同じようでもあり、みな違う模様のかたちで、剝がれた樹皮の裏は色がまた、いろいろ。それに虫食いの穴が空いて輪があり、それは香しく楽しいおもちゃだった。大きな松の樹下は薄暗かったが、黒松の温もりがわたしの何よりの原風景である。まさに黒松の樹が幼いわたしを、螺旋への旅へ誘っていたのだと気づかされたのである。

数年前、台湾の花蓮にある松園別館を訪ねたことがある。庭園に数本の樹齢四百年の松樹が、太平洋に向かってうねり、くねっていた。松樹の下に来たわたしは涙が込みあがってくるのをこらえたのだ。そこで初めて、そこが特攻隊の最期の宴をおこなった旧日本軍施設だったと知った。松樹は眼前に広がる太平洋に突っ込んだ特攻航空機も見届けていたのだろう。地中海に面するコート・ダジュールの赤松のうねりも印象に残っているが、松という樹木はわたしに何かを語りかける。常緑樹、永遠《とわ》の緑というだけではないだろう。

わたしはとにかく大きな樹木が大好きである。森にひとりで入ることが好きで、これぞという大樹に抱きつき、言葉のない対話をしている。なんだか偉大な母にいだかれ子宮に還るような、悠久の時間、はるか彼方へ行くような、なんともいえぬ至福に浸るのだ。樹木の思い出はつきないが、紹介したい巨木に京都青蓮院の楠木がある。その鬱蒼と茂った楠木は、巨大幹のこぶもむくり、太枝がうねうね脈打ち、太根も力強く根張り、また盛りあがり大地を摑む。まさしく荘厳で、威厳がある巨樹。樹の「気」を発散している。宇宙樹とはこの樹ではないかと想うほど大好きだ。

また、源義経が修行したといわれる京都鞍馬山に、わたしの好きな場所がある。鞍馬寺から奥の院へ、そして貴船へ抜ける峠だ。そこには樹木の根っこが地面をうねり這う。根がリズミカルに踊るように地面を縫う。修学院ちかくの曼殊院門跡前の大杉も幹が螺旋状にうねり上昇し、樹肌も螺旋状に切れ目を刻み、空を突く。宮崎県霧島の原生林のイチイ大木の樹肌も螺旋紋様をいくつも描き、たくましく伸びやかだ。土でなく岩に根をおろした木はわずかな養分を吸いあげながら、ときに寄生する苔の助けも借りながらも、ゆっくり時間をかけて成長する。千年、二千年樹ともなっていく。生い茂る森の深海、暗闇から光を求めて曲がり、ねじれ、うねりながら空へ、天へむかう。這いつくばりねじれながら水と光を求めて自らの生の流転を繰り返す。この動きそのものが螺旋だ。自然界には螺旋の回転によって生成され、宇宙をめぐっている。

縄芸術哲学へ

文化人類学者の岩田慶治氏に座談会で、初めてお目にかかる機会があった。穏やかな人柄で自然に親しみ、樹木が原風景と言われるので、とても親近感を覚え、著書『コスモスの思想』『草木虫魚の人類学―アニミズムの世界』『花の宇宙誌』など大変感銘を受けた。『コスモスの思想』に、アレキサンダー・フォン・フンボルトが紹介されている。一七六九年九月十四日ベルリンに生まれ、

岩を抱えて根を這わす樹木　撮影：著者

自然科学の分野に先駆的な業績をあげ、晩年『コスモス』全五巻に集約している。

ゲーテの言葉から引けば「かれほど多様な学問、生き生きとした知識を身につけた男が他にあるだろうか。(中略)かれの蘊蓄の深さに驚かされている。かれは出口のたくさんある泉に似ている。われわれがその出口に容器をあてがいさえしたら、そこから水はとめどなく流れだしてくるのだ」と紹介されるフンボルトは生命とは何か、生命力とは何かを考察し、「私は物質世界のすべて、われわれが今日、大空と大地、星雲から花崗岩上に生えた苔の地理学にいたる諸現象について、知ってる限りのすべての事柄をひとつの作品にまとめあげようという愚かな思いつきを抱いている。しかも、その著作は生き生きとした言葉で語られるとともに、同時に感情を和らげるようなものでありたい。至るところに輝いているすべての偉大な、そして重要なイデーは、事実とならんでそこに書きこまれなくてはならない。それは天と地、被造物のすべてを包括するものである」という(岩田慶治『コスモスの思想』)。

このフンボルトの視座とは、すなわち、自然の全体像として、地殻、マグマ、溶岩、地形、気候、植生の姿、動植物の分布、人間、人間社会、文化、政治、人間の心象、心の美しさ、豊かさ、人間の才能といった、単なる自然だけでなく、これら全てが相互に関連するものの全体を、一つのものとして捉えようとしたこと。生涯を通して、自身も人間という生きものとして「自然」全体に向きあったこと。一本の樹木を単に生態学的な研究対象とするだけでなく、さらに樹木が生きる場、生命を宿す場、生命の背景に、樹木の形態変容に関心を寄せていたのである。

このように、フンボルトが生涯かけて「コスモス」という世界の姿を描いたこととは、芸術そのものだとわたしは思う。さらに、「コスモス」の世界と共に、「無意識」「間」「気配」への繊細な感受性とあわせて描くことこそ、真の芸術となるのではないか。『コスモスの思想』を読んで、偉大な詩人ゲーテも最晩年に論文「植物の螺旋的傾向」を書いた事実を知り、わたしは生命の螺旋、縄の芸術哲学へと広がるコスモスに惹かれた。

自身のこの眼で見、観察し、根源的なものへの思考を重ねながら、螺旋のコスモスを思索し、縄の本質を見つめていく。そうして、一つ一つの縄作品が生まれるたびに得たインスピレーションに、肉づけする思考が深まっていった。

わたしは直感に従い、直感で動いている。夜中に夢のなかや、ぽかんとしているときに、ふとイメージが降りてきて制作し始めるのだが、どうして、なぜかは自分でもわからない。作品が完成し、初めて自身で感得するのが常だ。魂の表現や個としての内面の表出は、まさに呼吸のように、生きるに不可欠な営みなのである。

そのころ、アメリカの友人からセオドア・アンドレア・クック（Theodore Andrea Cook）の『The Curves of Life』という本をもらった。生物的観点よりむしろ芸術的視点から螺旋の形成について論じ、自然界に見つけた普遍的な螺旋のかたちを探求したとある。書かれたのは一九一四年。まるで螺旋スパイラルの辞書のようなイラスト本でもある。また、編集工学者の松岡正剛氏から薦められた『螺旋の神秘—人類の夢と怖れ』（ジル・パース著／高橋巌訳）からは「渦巻の運動は空気や水の流れのなかに見いだせる。静止した水面に一滴たらすとつくりだすこの形を渦輪と呼ぶ。渦輪は宇宙的持続の統一性を表現する原形態。前進衝動と自己回帰との統一を正確に表現している」といった内容の、実に多くの示唆を得たのだった。

古代ギリシャ人は物資的な面と非物質的な面を統合しているという考え、すなわちコスモスの概念を持ち、物質は運動と秩序によって存在していると考えられていた。ギリシャで出土した壺や壁画には多くの渦巻き螺旋の模様も描かれ、記号のようなものも螺旋状に配置されている。太陽を中心に四つの渦巻く大洋がある世界観を表す、紀元前二五〇〇年ごろのピュクシスの土器の渦文様などもある。原初の水の渦パターンや大洋の潮の渦、また大気の寒気と熱気がぶつかり渦になり、天地創造が始まるイメージとして渦文様が刻まれたとされている。渦巻きは、太古から螺旋のエネルギーの流れを示す神秘的な象徴、コスモスそのものであったのだ。

　わたしは自身の原風景である黒松の樹木に始まり、草、蔓、さまざまな生命あるものの「螺旋的傾向」へ目が開かれ、さらに二重螺旋ＤＮＡ生命遺伝子から渦巻銀河、地球、太陽の運行回転や精神、魂、アニミズム、神話、哲学の世界へと螺旋のコスモスは膨大に広がった。わたしの感覚的概念「身体のなかに縄がある、宇宙が縄である」から始め、人類の螺旋への思いを紐解こうとしているが、螺旋ゆえに永遠に終わらなさそうだ。コスモス迷宮にはいりそうなので、人類が縄を発明した原初の時代をイメージし、縄の言葉から探ってみようと思う。

「縄」の言霊・響き

　一九九二年、第十五回ローザンヌビエンナーレに出品した縄作品《原始惑星系ＤＮＡ》は、太陽系惑星、生命遺伝子の源の姿を表現している。地面からうねり曲がり、太陽光線の虹色を浴びるようなこの作品は、ビエンナーレ以降、いろいろな国際展に出品した後に、青森県三内丸山縄文遺跡の近く、小牧野ストーンサークルに設置し、縄文映画「一万年王国」のワンシーンに採用された。飯塚俊男監督は、小牧野遺跡にクレーンを持ち込み、この大きな縄作品を、赤松林に囲まれたストーンサークルの真ん中にしつらえ、小雪が舞うなか、縄作品の周りをひとりの裸足の舞踏家が躍《おど》った。縄文人の太陽とのつながりや、死の世界から生の世界へと循環する縄文人の精神世界を映しだしたかったようだ。撮影を取り囲んでいた地域の村人たちは、ねじれうねる赤松の幹と太縄作品が呼応し、ストーンサークルの持つ渦エネルギーを感じたと話し、そして口々に「なわ」「な・わ」と言うのも聞こえてきた。

お年寄りの東北人たちの会話では始終「なわ」が翔び交う。津軽方言で「なわ」は、「な＝汝」で、「わ＝我」だと、東北大学研究員であったアメリカの文化人類学者、エレン・シャッツナイダーが、津軽弁がわからないわたしを津軽のイタコに引き合わせてくれたとき、教えてくれた。「縄は一本では縄にならない。二本で初めて縄となる」に注目していたわたしは、すぐにピーンときた。縄とは「な＝汝、わ＝我」、す

《原始惑星系DNA-912》 1992年
第15回ローザンヌビエンナーレ選抜作品　撮影：著者

なわち、縄は「あなたとわたし」という意味だと、はたと気づいたのだった。

一九九二年のリオアースサミット・オマメプロジェクトに参加したとき、出会ったイギリス人の詩人から言霊について教えられた。

「な」のコトダマは幸いが集まる。幸が幸いを呼びあつめる。「わ」のコトダマは和む。平和。「なわ」の音の波動は幸いを集め、みんな和む。なわが響きこだますれば、平和が広がる。

そのときからわたしは、縄をロープやコードと訳さず、「なわ」を世界語に、ＮＡＷＡで通すことにした。中国奥地やモンゴル、アイルランド、ブラジル、イタリア、どこの国の人も、上手にＮＡ・ＷＡと発音できた。どの言語の人も、母音のなわの響きはすぐに伝わり発音されるのだ。やはり母音は人間の新生児の最初の発声に通じているからだろう。京都とインドを居所とするアメリカ人ジャーナリスト、キャシー・ソコルも「ＮＡＷＡ」に共鳴し、発信し続けている。

弥生の縄とアイスマンの縄

縄にまつわる言葉には、ただす意味の「縄正《じょうせい》」や、のり・法則を意味する「縄墨《じょうぼく》」などがある。縄に関することわざでは「禍福は糾《あざな》える縄の如し」「自縄自縛」など、今も使われる。ワラ縄は現代の日常生活にはほとんどないので、なぜ、このような縄にまつわる言葉や慣用句が生まれてきたかも、昔の暮らしぶりを紐解かなければわかりづらい。

縄は、麻、シュロ、ワラビ、稲ワラなどの軟質植物繊維を撚りあわせて、長い線状にしたものである。特殊なものとしてはスギ、サワラ、シナノキ、フジなどの樹皮が用いられ、麻、シュロ、ヒノキなどの縄は丈夫で水に強く、つるべ縄や錨《いかり》の縄に使用された。

《迦具土（かぐつち）》1976年
藺草、アルミキャスト　20×23×18㎝
第2回国際ミニアチュールテキスタイル展入選作など

昔から米を主食とする日本において、稲の収穫を終えると、たいていの農家が縄綯《な》いに励んだ。雨天で野良に出られないときの家内労働も縄綯いであった。「縄綯いが出来るようになって一人前」などといわれ、かつてはだれもが修得すべき基本的な生活技術であった。外国では動物性のものもあるが、日本では稲ワラ縄で物を結《ゆ》い束ねる荷造りや、草履や荷を背負う縄、また、小屋組みの結縛《けつばく》材など、多岐にわたって用いてきた。祇園祭の木組みに使われるワラ縄結びは、現在も見られる美しいワラ縄の姿である。

昔の農家の子どもは、ワラを親から分けてもらって縄を綯い、ワラ縄一本でさまざまな遊びを考えてきた。日常的な遊びに縄跳びやワラ蛇遊び、年中行事として綱引きもした。神の存在を表象するものの一つに注連《しめ》縄《なわ》があるが、それを焼くトンド行事もある。弥生時代の稲作文化から二千年、ワラ縄は日本の心の文化として刻まれ、風土や地域社会によって独自の注連縄などワラ縄文化が編みだされ、伝統として継がれているものもある。

編む、組む、織るなどによってつくられる紐のうち、撚り紐の代表的なものが縄であるが、縄綯いの種類には、数本のワラに撚りをかけて一本としたもの同士で綯う二本綯い、三本で綯う三本綯いなどがある。綯いの方向に右と左がある。日常用や労働用は右綯い縄、神事などの非日常用には左綯い縄と使い分けている地域もみられる。右綯いにくらべ、左綯いが丈夫で美しいといわれるが、強度に変わりはない。

右綯い縄、左綯い縄といえば、興味深い縄を見つけたことがある。五千年前の「アイスマン」（男性のミイラ。エッツィと命名される）発見の新聞記事の記憶をたどって、わたしはヴェネツィアでの仕事の帰りに、ヴェネツィアの北に位置するアルプス山麓の村ボルザーノに立ち寄って見たものである。博物館でアイスマン＝エッツィさんに出会ったときのことだ。科学分析で五千年前のエッツィさんの行動と事件は、昨日の出来事のように鮮明に浮き彫りになっていた。エッツィさんは、現代の感覚でもオシャレな服に、しかも縄を駆使した毛皮の靴をはいていた。発掘された五千年前に綯われた縄を見ると、どれも右撚り、右綯いだったのである。

ところで、アドレア海に囲まれ運河が縦横に巡らされた水の都、ヴェネツィアの建物には、多くの縄状の装飾が施されている。右綯い縄、左綯い縄のどちらの形もある。ヴェネツィアは中世には海運が発展し造船の一大拠点となり、富裕な貴族や商人たちの集まる海上の要所であったからだろう。船に欠かせない縄ロープがシンボリックに装飾されたのかもしれない。

産業革命と、英国とオランダの製綱機

縄は手綯い縄に対し、機械によって綯われた縄は機械縄と呼ばれる。この機械縄は明治時代以降の産物で、足踏み縄綯い機、自動縄綯い機、三つ子縄綯い機、網つくり機などによって綯われた。小型の縄綯い機が実用化されるようになったのは、一九〇六年、明治三十九年ごろのことである。第二次世界大戦後、ビニール縄が出現するとワラ縄の需要は激減したが、今日でも枝吊り、木おこしなどに欠かせないものと

して使いつづけられている。

わたしは実際にこの眼で確かめなければ、「縄」についてどうしても納得できない。百聞は一見にしかず。四年ほど前から、縄の構造として、伝統の技と先端技術とをかけあわせた、新たな縄の製法を考えていたので、愛知県にあるロープ工場を訪ねた。その会社は日本で最大といっても良いロープメーカーで、一八八七年、明治二十年創業の東京製綱繊維ロープ株式会社である。日本で小型の縄綯い機が実用化されるよりも前の創業当時に、英国から張打式製綱機を輸入し、マニラロープを日本で初めて製造した会社だ。その機械は日本現存最古のロープ製造機械で、日本の製綱産業の発達を示す資料として、国立科学博物館により重要科学技術史資料に登録されている。伝統麻縄師山川にある手車は、木製の木組台に鋳鉄の歯車がとりつけられた簡易な道具であるが、それとは比べものにならないほど頑丈でいかにも重厚な鉄製機械で、この張打式製綱機はまるで機関車のように大きなものだ。産業革命で機関車がつくられた英国の最新機械だったのかもしれない。

そういえば、わたしは世界最大の縄ロープもつくるという、オランダの創業四百年以上の歴史ある縄製造工場を訪ねたことがあった。背丈よりもはるかに大きな鋼鉄歯車があり、数百メートルもあろうかという長い長い工場だった。さすが大航海時代の海洋帝国だと感心したものだった。船舶の航海には欠かせない縄ロープだったからだ。

陰と陽を綯う螺旋の縄

わたしは弥生時代以降のバラエティー溢れる民俗学的な「ワラ縄」を知っても、どうも興味は進まない。わたしの感覚的概念「身体のなかに縄がある、宇宙が縄である」や、ゲーテやフンボルトが見つめてきた

「コスモス」の理念から、遠くなりそうな気がするからだ。

あるとき、縄と近しい紐や結びに関する本に出会うことになった。『ひも』『結び』『日本の結び』『結びの文化』『結び目の謎』、額田巖氏の著作だ。わたしが「あの縄の衝撃—感覚体験」を受けた一九七二年と同じ年の春に初版が出ているので、何か縁を感じ、額田巖氏に連絡すると、著書『結び』をわざわざ送ってくださった。後年、信濃毎日新聞「めぐりあいこの一冊」（一九八八年三月七日付）欄に原稿依頼を受けていたわたしが選んだ一冊が、この法政大学出版局「ものと人間の文化史」シリーズの一冊である『結び』だった。額田巖氏は電気回路の研究者で、原始時代の結縛文化に流れをくむ「結び」の思想に光があたらないのはなぜだろうかと、「結び」に始まり「紐」も長年にわたり研究をされた方だ。

「古来『結び』の思想は『陰と陽とが相集って、新しいものを創造する』ということであり、その具現化されたものを見ると、『用』と『美』と『神秘』の働きをもっている」（『日本の結び』）

「この世の中に結びをむすぶ鳥や魚がいる（中略）結びのできるのは人間だけだとひとり合点をしていたのが、あにはからんや前にのべたように鳥や魚にも結びのできるものがいたわけである。とはいっても、人類が他の動物からわかれて、今日の繁栄への道へ歩みだす時点では、人類が最初に習得した建設的な技法である結びの効果が火の発見などとともに大いにものをいったことは確かである。当時の運搬、漁撈《ろう》、狩猟、建築などの生活を営む業には、結びは欠かせない要素であったからである」（『結び』）

わたしは「結び」から人類文化の根源を見ようとする額田巖氏の視点に感銘を受けた。「結び」は、大変高度な文化だ。紐は一本の繊維でも、また撚りがかかっていなくても、長い線状のものを紐という。その紐で結ぶこともできる。

しかしながら、わたしは一本の草などの繊維が多く撚り集まって、綯《な》われた縄そのものや、その撚ると

《A Screw of Rope》
1978年　鉄鋳物、サイザルロープ
第3回国際ミニアチュールテキスタイル展（ロンドン）入選作

いう行為、綯うという行為、ねじれ回転する「螺旋の縄」にとらわれたままなのだ。「結び」という高度な技にまで至らない。螺旋回転の根源や原初の撚りの段階にとどまっているのである。

わたしは単一で、撚られていない紐には興味がない。それは単なる静止した物質であるからだ。結ぶという行為や組む、織るという行為など動作の技にもやはり興味はない。物理学的には静止ということではないのかもしれないが、結び、組み、織りは静止や停止の結果というイメージだからである。わたしはあくまで螺旋回転する動作や螺旋回転させる行為、継続や遠心力、求心のエネルギーを生みだす、撚り綯うという技に、魅了されつづけているのだ。「ものの根の本質」に迫る何かを、螺旋回転させてつくられる「縄」から感じるからだ。わたしは「縄の本質、縄の原点」「縄の宇宙」について掘り下げたいのである。そして、縄は日本だけでなく世界の人類が誇るものであり、世界人類に共通である、まさに「縄の文明」に迫っていきたいのだ。

2 宇宙の産霊

感覚的概念「身体のなかに縄がある、宇宙が縄である」へ

宇宙はどのように生まれたのかについて、現代科学理論にはまだ確かな説明方法がないらしい。縄はどのように生まれたのかについて、だれも問うていない。わたしはアート制作を通して、実感してきた感覚やイメージを膨らませたいと思う。わたしの縄との出会い、あの感覚体験、「縄の衝撃」も、わたしの身体のなかで起こったビッグバンだったのではないか……。

宇宙の始まりは神の一撃だとする言葉がある。宇宙創生の瞬間がどうだったのかわからないが、光に満ちた火の玉だったのは確実らしい。アインシュタインの相対性理論では、空間は三次元ではなく、また時間も独立した実在ではない。時間に触れずに空間を語れない。空間と時間とは緊密に結びつき、時空と言う四次元連続体を形成する。一九七〇年代にはスーパーストリング理論（超弦理論）も生まれ、一九八〇年代には量子論から、無から宇宙を創生する理論も出た。

ジュネーブの巨大な加速器で、素粒子を高エネルギー状態にさせる実験でわかったことは、「無」の状態、空っぽの空間であっても、物理量はゼロではなく、ミクロの素粒子がペアで、陽子と反陽子、電子と陽電子が、ポッと生まれてはペアが結合し、うち消しあって消え、消えては生まれ、たえず、無と有の間を揺らいでいるということだそうだ。「無」とは時間や空間やエネルギーが、揺らいでいるというのだ。わた

しには、その揺らぎに「縄」の本質のイメージが湧いてくる。ペアが結びつき、消えては再び生まれる。無と有の間。揺らぎ。

ビッグバンを経て、宇宙は膨張進化をつづけ、やがて「無」の中に消滅してしまう。無数の宇宙も、生成と消滅を繰り返していると考えられている。宇宙はわれわれの宇宙だけではない。宇宙は素粒子の創生と同じように、次から次へと生まれ、その無数の宇宙の中の一つが、われわれの宇宙となった。それが現段階の宇宙の始まり理論だそうだ。それこそ、無数の宇宙も生成と消滅を繰り返し、それは「縄」の始まりのイメージの源泉だとわたしは思う。

素粒子のダイナミズム　スーパー縄の根源

スーパーストリング理論では、さまざまな素粒子を一本の紐の運動から統一的に説明でき、宇宙には微小なスーパーストリングが充満していて、そのスーパーストリングこそ、あらゆる物質、あらゆるエネルギーを生成する根源の要素であるという。なんと面白いことか。スーパーストリング理論はスーパー縄の根源かもしれない。さらに、F・カプラ著『タオ自然学』の説明がわかりやすい。「(現代物理学では)物質は分子、原子、原子核それぞれのレベルで絶え間なく踊り、振動している。(中略)あらゆるものは動き、振動し、踊っているのであり、あくまでダイナミックにとらえられるべきものだ。自然は『静的な』バランスではなく、『ダイナミックな』バランスの裡にある」「(粒子は)無から生まれ、ふたたび真空のなかへと消えていく。(中略)真空は『空っぽ』とはほど遠い。それどころか、真空にはかぎりない数の粒子が存在し、絶え間なく生まれたり消えたりしている」とある。

真空は限りなく充満し、また消える。その繰り返し連続するダイナミックな動きがあるという。あらゆるものは静止していない。この動的なダイナミズム。なんと壮大で、なんと虚のマクロな世界。素粒子がペアで生滅を繰り返す、なんと虚のミクロな世界。しかし、空っぽが空っぽではないということ。無はまさに充満している。それこそ鈴木大拙の禅思想を思いだす。無の充満。空の有。

量子論やスーパーストリング理論も、縄の本質や縄の構造につながっていく。

縄のシンボル、地球生命の動脈

マグマが噴出し地表が爆発する火山帯は、地球の動脈かもしれない。環太平洋のモンスーン地帯にあるこの動脈をたどると、九州山脈や日本列島の山脈には、地球の鮮血が流れているように思える。熱い地球が炸裂し生まれた火山は、地球の鼓動を伝える。地球が自ら廻り、太陽の周りを廻る。地球の内部も燃えたぎり、地球は常に動き回転している。火山は、今まさに地球が生きている美しさを、刻々と見せてくれるのだ。わたしには、そこに縄のシンボルが見えてくる。

今も、世界や日本のあちこちで火山爆発が起こっている。日本では、北海道洞爺湖《とうやこ》のほとりに昭和新山が噴火隆起し出現したし、近年にも普賢岳《ふげんだけ》噴火、御嶽山《おんたけさん》噴火、新燃岳《しんもえだけ》噴火、小笠原海底火山噴火など次から次へである。わたしは御嶽山や新燃岳に登山した経験があるので、噴火の瞬間に遭遇したらと思うと恐ろしく、それは超絶な威力のエネルギーなのだろうと想像する。このように、わたしたちが実際に感じられる火山活動、その噴火の煙が立ちのぼる渦まくエネルギーから、生きているこの星、地球が生まれる前をイメージし、縄の本質を考察したいと思う。

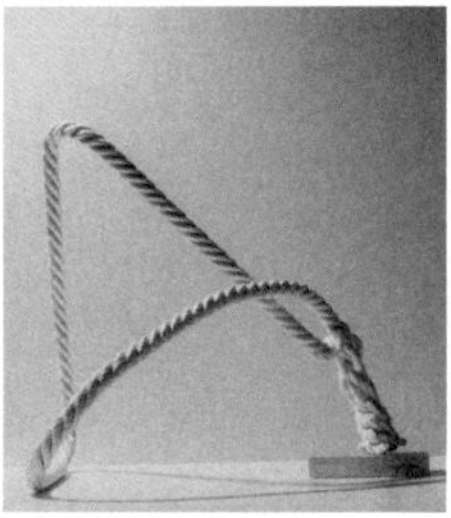

なぜ渦　なぜ螺旋回転

百三十八億年前、初期宇宙はビックバン大爆発をおこした。その約一万分の一秒後に、クォークが集まって陽子と中性子ができ、百秒後に陽子と中性子が集まって、原子核ができた。さらにその三十八万年後に、電子と陽子と中性子が互いに結びつき、原子の塊になった。その原子が互いの重力に引き寄せられ、超高温の巨大な雲をつくった。瞬く間の大爆音と大爆発、超マクロ、超ミクロの集積。この雲から、ビッグバンのエネルギーが詰まった燃える集団が生まれた。それが最初の恒星だ。それらの恒星が互いの重力に引かれて集まり、さまざまな大きさの渦巻状の銀河になった。

渦が廻る、周り、回る。どんな轟音なのだろうか。釜の湯を笹でぐるぐる回す神事もある。あるいは洗濯機の水が廻るさま。高低差のある潮がぶつかり大きな渦を巻いている鳴門の渦潮のようだろうか。台風や、竜巻のその周りの全てを巻きあげるさまだろうか、いやはやそんなどころではないだろう。呑気な小さなことに目を向けていたが、驚くべきというか、ワクワクするニュースが飛び込んだ。

二〇二一年十二月十日付「アストロフィジカル・ジャーナル・レターズ」誌によると、超巨大銀河Ｍ87から伸びるジェットに二重螺旋構造があることが、メキシコの天文学者アリス・パセト氏らによって発見された。超巨大銀河Ｍ87は二〇一九年に中心部の超巨大ブラックホールが直接撮影された銀河だ。このブラックホールから出ているジェットは光速に近い速度で動く電子や素粒子で構成されている。そのジェットが生命遺伝子ＤＮＡと同じように、二重螺旋の形であるというのである。螺旋状に進む形なのである。

無と有の間　絶え間なく揺らぐ縄

量子の揺らぎは、なぜ渦になったのだろうか。なぜ回転するのだろうか。

わたしたちが棲む地球が属する、天の川銀河系は巨大な円盤のような形をしていて、時速百万キロメートルという超高速で旋回しているらしい。

「天体ができるとき、物質が渦のように運動していれば、中心にものを集めたり、近くにある物質と衝突して、成長したりすることが可能になる。太陽なり惑星もこのようなプロセスを経てできたものだから、いわば、生まれてきた証として、自ずと、回転という性質を持っている」という説を読んだことがある。

前述に示したように、「無の状態、空っぽの空間であっても、物理量はゼロではなく、ミクロの素粒子がペアで陽子と反陽子、電子と陽電子が、ポッと生まれてはペアが結合し、打ち消しあって消え、消えては生まれ、たえず、無と有の間を揺らいでいる」「物質は分子、原子、原子核それぞれのレベルで、絶え間なく踊り振動している」というような物理論から、やはり粒子は反発スピンし、揺らぎ回転するということなのだろうか。撚りがかかった「縄」もしかり、全ては静止していない。

遠心力、求心力、あるきっかけでポンと弾みがかかる。ひとたび生まれたら廻り始める。まるでかけ離れた話だが、赤ちゃんが生まれて初めて寝返ったと親は大喜びする。それは弾みでゴロンと半回転、また弾みでゴロンゴロン、さらにクルンクルンと転がることができるようになる。これも生まれてきた証ではある。少し、話がそれてしまったのかもしれないが、回転という性質は天体だけでない。人間の身体も含め、あらゆる物質は常に回転しているのだ。同心円を描かない。螺旋回転とは、少しずつ前へ進み移動する。螺旋回転している縄は前進、動いているかたちなのである。物質が生まれるということは螺旋回転とともにあるといってもいいのだろう。

母的宇宙

　ビッグバン後の、最初のころの恒星は、水素やヘリウムといった、単純なガスだけでできていたので、生命を支えうる星を生みだせなかった。恒星が燃えつきて、自らの重力で崩壊し爆発した。いわゆる自爆ということなのだろうか。そうではなく、ある恒星が一生を終える時に爆発し、爆発の力によって、拡散したガスや塵で、次世代の新たな恒星が生まれる。これは宇宙誕生の話だが、わたしには、あの雌スズメバチの妊娠、産卵の話が思い浮かぶ。生きものの世界にも、宇宙であったシステムが受け継がれているように思える。まさに母的宇宙だ。

　およそ四十六億年前、われわれが生きる、天の川銀河の外側にある渦巻き腕の片隅で、恒星が燃えつき残されたガスと塵が、互いの重力で集まって高密度となり、核融合をおこして輝き始めた。それが太陽なのだ。渦巻き腕の先で旋回している、太陽は新しい恒星であるが、他の恒星が焼失したあとに、残したガスや塵から、太陽が生まれたのだ。そして、凄まじい超新星の大爆発という力によって、原子を結びつけ、より重く、より有益な材料を生みだした。それらの材料から、地球のような岩石型の惑星が誕生し、鉄、酸素、炭素など、生命を生む要素をもたらした。母なる太陽とはよく言ったものだ。

　太陽の子どもといわれる惑星は、太陽の周囲を廻り、誕生まもない原始太陽系のなかで軌道を安定させようとした。その原始環境はとてつもなく過酷で、不安定な惑星の一つであった地球は、太陽風の超高温の嵐にさらされ、地球表面ではマグマがグツグツボコボコ吹きあがり、溶岩煮えたつ地獄の様相、しかも高速回転し自転していた。原始惑星と地球がぶつかり、原始惑星の核を形成していた鉄が、地球の核と溶

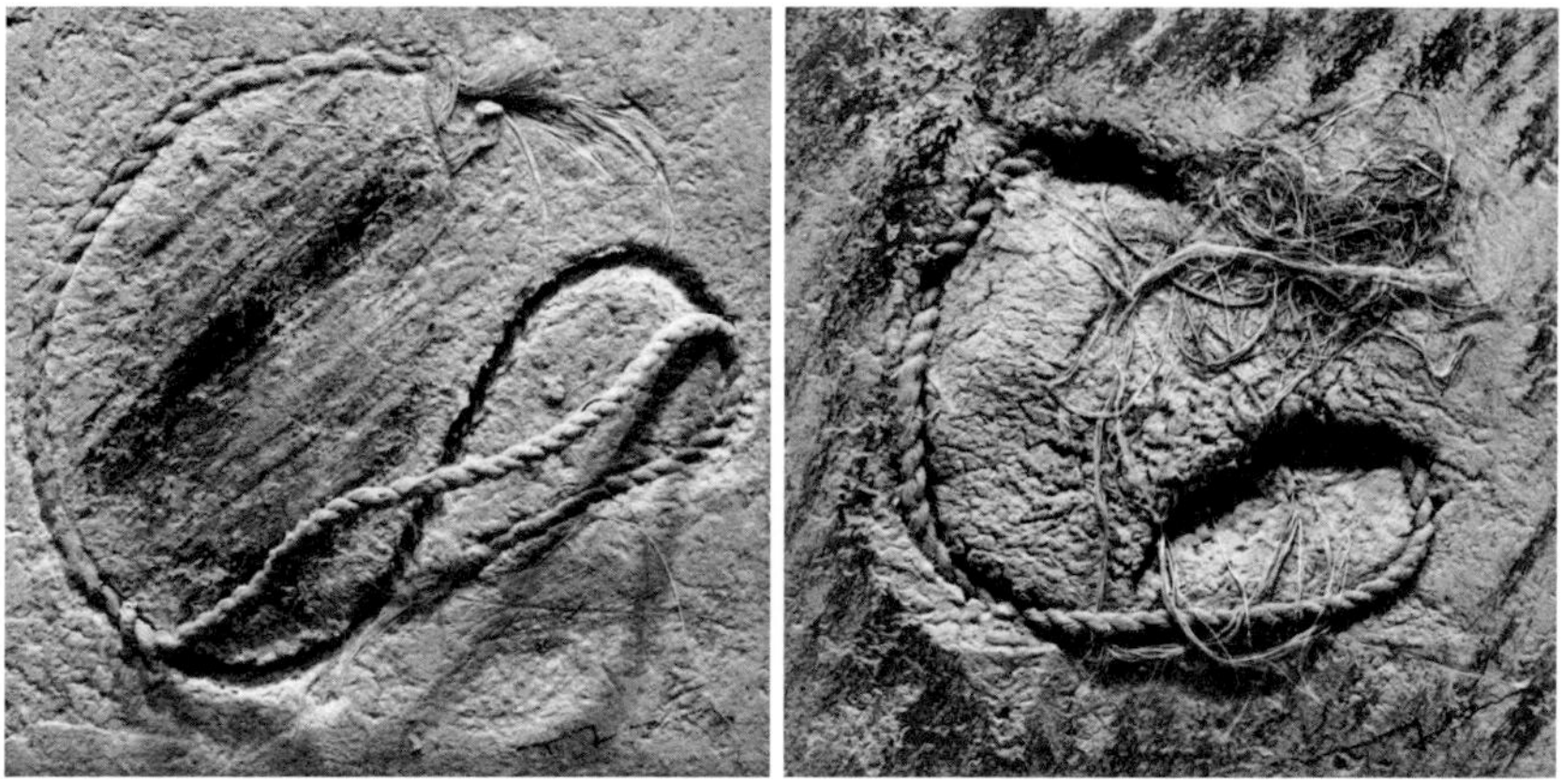

平面作品《ユーラシア大陸の縄塚》　個展「The Earth & earth 地球にすれば…」より
2009年　ギャラリー島田・神戸　撮影：著者

けあって、地球の奥深くで高温、高密度の鉄の球ができた。原始惑星の衝突によって、地球を覆っていた塵や花崗岩の雲などの結合で月が生まれた。太陽の孫で地球の子どもだ。月の重力は、不安定だった地球の軌道や自転をスローダウンさせた。親の地球に対する子どもの存在の力は大変凄い。子どもあっての母親である。そして地球と月は、母と子どものように、互いに手をとりあって、太陽のまわりを廻りつづけている。

宇宙の産霊

大量の鉄を取り込んだ地球の核は磁気を形成し、あの致命的な太陽風から、地球の表面が守られるようになった。そのことによって、水素と酸素が分離しなくなり、生命体に不可欠な水が、宇宙に飛散せず地球に蓄えられていったのだ。

銀河宇宙から消え失せた恒星の残骸から、太陽が生まれ、地球が生まれ、月が生まれ、生命が誕生した。宇宙の産霊《むすび》だ。

宇宙の片隅で、太陽は渦を巻き回転し、太陽風も猛烈に吹き荒れ螺旋回転しつづけるなかで、地球も回転しつづけ、その地球上の生命もみな回転しつづけている。壮大な奇跡の螺旋渦巻きの連続だ。超巨大銀河Ｍ87のブラックホールから出ているジェットは生命遺伝子DNAと同じように、二重になって螺旋を描いて進んでいる。宇宙の産霊が、ここに見えた。わたしには「縄」の根源が見えたのだ。螺旋渦巻の回転する力で初めてできる縄は、渦巻くほどに充満する。しかも山あり谷あり、禍あり福あり、無あり有あり、連続するかたちなのである。

原始海洋の誕生、生命の水

地球上での生命体の誕生を見てみよう。誕生したばかりの原始地球の表面は高温で、彗星や小惑星など隕石が、絶えず衝突していた。地球内部の地殻に閉じこめられてしまったガスや溶岩は、火山噴火となって地上に噴きだした。噴き出た窒素、メタン、アンモニア、酸素、炭素といったガスが大気となっていった。太陽系が爆発したときのガスが水素で、地球から噴きだした酸素と、その水素が結合し大量の水がつくりだされた。

さらに、おびただしい数の彗星が大気を通って、大気の水、すなわち、高熱の水蒸気の尾を引きながら、原始地球に激突していた。水蒸気は冷え、水滴となって地上に降りそそいだ。そうして、大量の雨が降ったのだ。天と地をつなぐ水となった。この洪水は地表の七十パーセントちかくも覆った。彗星激突の勢いがおさまるころ、煮えたっていた地表が冷え固まり、大地になり始める。なんと息をのむ光景だろう。そうして、地球誕生から六億年ほど経過し、原始海洋は四十億年前に誕生した。まさに致命的な太陽風の影響も受けないほどの深い海ができたのだ。生命の水の循環。生命に不可欠な水。生命の水である。

ところで、縄は水を含むとしっかり撚りが締まり硬くなる。乾燥すると緩み、軟《やわ》い撚りとなる。空気が乾燥する展覧会場では、作品の縄に霧吹きをすることもあるほどなのだ。有機的な縄には水が必要なのである。

生命体の誕生

三十八億年前に、海底の水圧が二百〜三百気圧、温度が摂氏二百〜三百度の環境あたりで、最初の生命体が誕生した。原始細胞の誕生とともに、ウイルスは存在していたともいわれている。信じられないほど過酷と思われる海の底で、しかもマグマのガスや熱水を噴出しているところで、その科学物質を食料として生きる生命体が生まれている。それはブラックスモーカーという熱水噴出孔に生息するメタン生成細菌だ。その単細胞生物のもう一つの種で、シアノバクテリアと呼ばれる生物がある。それは光合成によって生きている。太陽の光を使って、二酸化炭素と水を分解し、酸素とエネルギーに変換して生きているのである。この光合成をするシアノバクテリアが数十億年にわたって、酸素を大気中に蓄えてくれた。一つの岩石に数十億個のシアノバクテリアが生息しているストロマトライトは、かつては地球全体を覆うほどだったが、今では、世界最古の岩としてオーストラリアの海で見つかり、カリブ海などわずかな場所でしか見あたらない。

このように大量の酸素をつくりだしつづけているシアノバクテリアのおかげで、酸素呼吸する生きものも生まれ、地球にはさまざまな種類の生物が生まれていった。植物となり動物となっていった。このような途方もない時間から見れば、ヒト科の誕生の歴史はほんの一瞬でしかない。しかし、ヒトの生きる時間から見れば、そうとは思えない長い進化の過程があった。

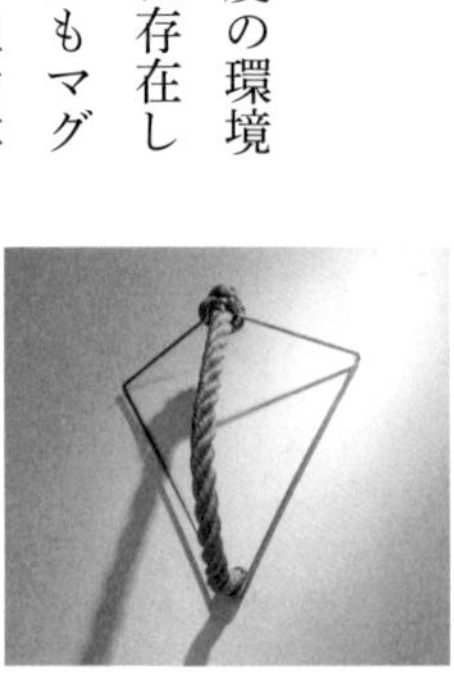

人類誕生

ヒト科では類人猿から猿人、原人、旧人（ネアンデルタール人など）から新人（クロマニヨン人など）へと進化してきている。最古の人類はアフリカの東部や南部で約七百万〜百万年前の地層から発見されている。直立二足歩行をしていたものと推測でき、約三百五十万年前の地層からも二足歩行の足跡が発見されている。原人は二百五十万〜二十万年前に存在していたホモ属の人類で、北京原人、ジャワ原人などアフリカ、アジアの広範囲に分布する。小学生のころに、北京原人ホモ・エレクトス・ペキネンシスの名前が面白くて、復唱していた記憶があるので親近感がある。ホモ・エレクトス・ペキネンシスはユーラシア大陸での最古の人類化石として、中国、北京北東部の森林の、百七十万〜二十万年前の地層で発見された。

　われわれ現生人類に通じている、最古の新人（ホモ属サピエンス種サピエンス亜種）は、エチオピアで約二十万年前の化石が見つかった。その新人は三十八億年前から、単細胞生物や細胞のない非生物や、実に多様な生物の恩恵で、ようやく約二十万年前に誕生したのだ。

　膨大な時間を経て、あらゆる生命の生きる知恵の蓄積が、ホモ・サピエンスにも受け継がれ、新人の生きる術が広がった。例えば、石器は用途別に高度に利用され、弓矢、槍、釣り針などの狩猟、漁業道具もつくられ、大型動物の狩猟や漁獲が始まった。洞窟美術ラスコー（南フランス）やアルタミラ（スペイン）の洞穴壁画を残し、動物との狩猟や、狩猟の成功を祈った絵画などが描かれている。また屈葬の習慣が始まり、副葬品などが供えられ、宗教的意識の深まりが見られるという。八万年前には、石や貝の首飾りなどの装飾品も、南アフリカの洞窟で発見された。約二万年前、ホモ・サピエンス・サピエンスの上洞人《じょうどうじん》が、北京郊外周口店にある竜骨山の洞穴から発見された。東アジアで最初に発見された化石で、モンゴロイド（黄色人種、アジア人種）の直接の先祖である。そして、その流れとして、約一万年前、三ケ日人《みっかびじん》は、静岡県浜名湖北岸で発見され、牛川人《うしかわじん》、浜北人《はまきたじん》、港川人《みなとがわじん》、縄文人などとつながっている。

3 森と人類、縄の発見

新人（ホモ属サピエンス種サピエンス亜種）が森の環境の中で、どのように綯《な》う縄の技を発見したのか、人類は「縄」をどのように発明したのだろうか、それを探るには、まずはわたしの体験した森のすがたに想いを馳せたいと思う。さらにすすめて、照葉樹の森のなかの「縄」、照葉樹林文化のなかの「縄」、人間とかかわる縄、具象の縄に焦点をあわせていきたい。

縄の初源イメージ

一九九五年大震災直後、神戸で「ライフ・ルネッサンスの森」と題した個展開催中の公開対談で、縄文文化を語られた考古学者の佐原真氏は、「実物として縄が残っているのは一万一千〜一万二千年前でしょう」とおっしゃった。それが現在までに見つかったなかで、最も古い痕跡だということである。まださらに古い地層の地の底に埋まっていて発掘を待っているかもしれない。二十万年前の地層から発見されるかもしれない。想像するだけでも楽しい。「北京原人の段階で、すでに縄を使っていたと思う。石の道具を使ったのが二百万年前、衣服の布はミクロで見ると全部、撚って縄になっている。縄は偉大な発明だと思う」とも語っておられた。縄綯《な》いの趣味を持つ縄少年こと、佐原真氏の背広のポケットには、いつも紙撚《こよ》りが入っていると週刊誌に掲載され、電車の中で、紙撚り縄を綯う姿と、背広ポケットから、紙撚り縄がニョロニョロはみだしている写真まであった。純粋に、縄に惚《ほ》れておられたのだ。縄文土器を撚られた縄の上にころがしてつけた縄紋様から、編み込み縄や組んだ縄、二本、三本撚り縄の形状を再現した、多くの種類の縄の姿をつくっておられた。対談で「縄好きは僕ひとりかと思ってたけれど、ここにもいた」と目を丸くされたのだった。

中国、北京北東部の森林で発見された北京原人は火を使っていたが、さて森の中で人類は、どのように縄を綯うことを発明しただろうか。その縄の初源を辿ってみたい。しかし、そのころのユーラシア大陸の森や、そして、わたしはアフリカ大陸に出かけたことがないからその森の様子もわからないので、まず、わたしが生まれた西日本、神戸の、照葉樹林帯の原生林の様相から想像してみることにする。照葉樹林文化に根をおろした縄の存在、すなわち縄を発明するに至る、閃《ひらめ》き、発想、イメージを追ってみよう、人類が縄を発明した経緯を問いなおしてみようと思う。その一つ一つは、芸術作品をつくることによってもヒントが生まれる。環境芸術の視点とその体験から、照葉樹林文化の縄を探っていこうと思う。

「縄の発見」の源泉

縄は四百万年前の人類誕生以来、いつとは特定できなくても、草原、湿地帯や森に生活をしていた人類、とりわけ森に暮らした人類であれば、森から学び、縄を編みだしたとわたしは考えている。なぜなら、原人は本能の力、鋭い直観力、自然適応力、刺すような眼力、魂を天に飛ばすような感覚、動物的嗅覚や聴覚など格段に優れていただろうから、自ずと縄の螺旋に閃き、気づいただろうと思う。

わたしは森のなかで暮らしたことはないが森が好きだ。森に足をふみいれると、簡単に縄のような形を多く見つけることができる。木々の幹がうねり曲がり天をつく姿。太い藤蔓がからみあい縄状のように生い茂る姿。樹木と樹木が互いに向きあいねじれ、互いに補うかのように、陽光を求めて伸びる姿。一本の

《宙の棲みか》（個人所蔵）《縄綯いはじめの頃》キャンバス50F
個展「The Earth & earth 地球にすれば…」
2010年 ギャラリー島田・神戸 撮影：八木夕菜

樹木から、異なる種の木が根をはり、助けあって天をめざす姿。樹木の根が地面から躍りはね上がり、根と根がからみあい地面を這いまわる姿。根が大きな磐を抱え込む姿。ダイナミックに蠢《うごめ》く生命の活動が見える。森から浸みだす水、湧き出づる水、水の流れ、岩にあたり渦となる水の流れる姿、水紋の姿、蛇行する川の姿を見ることができる。そして、猿や狸など森に暮らす動物たちも、巧みに森と共存共栄していることも知ることができる。ちなみに、「京の酵素浴」を創始された栗林さんは、山の中で傷ついた狸が、発酵熱をだしている腐葉土の中に潜っている様子を見て、酵素浴を始めたそうだ。

そのような動物の行動や生活ぶりを鑑みると、森が創造するさまざまな形やしくみ、成りたちや営み、森全体の生態から、縄のような形、縄と見立てる形など、さまざまな縄を想起させるイメージに溢れているのだ。

ところで、二〇一〇年に神戸で開いたギャラリー島田「地球にすれば…」個展に、多くの神戸高校（前身は神戸一中、県立神戸高等学校）の同期生たちが駆けつけてくれ、何十年ぶりかに出会った彼、彼女らとも一気に時を超えた。そして六甲山系をハイキングするその仲間に誘われたのだった。神戸高校同期生たちが山道の野草を愛でながらハイキングするグループを、わたしは「道草《みちくさ》」と名づけた。その「道草」の仲間たちも年々増え、道草しながら、ここにもあそこにもと、縄の螺旋を山道で見つけ楽しんでくれている。人類の「縄の発見、発明」のイメージの源泉は、森のなかにあるのだ。まさに、原始の人びとにとっては、螺旋の縄そのものが森に息づいていたはずだ。

照葉樹林原生の森

わたしが生まれ育った阪神間は、六甲山系が大阪湾になだれ込むように海に迫る。東西に細長くのびる市街地の南北は坂と決まっている。その六甲山麓の御影と芦屋の間、岡本には、幸いにも都市開発の手から外れ、六甲山系の東南端の斜面に照葉樹原生林がわずかに残っていた。山肌に張り付いた近代建築群をよそめに、黒々した緑の樹林帯が鬱蒼と盛りあがっていた。花崗岩のロックガーデンと呼ばれていた六甲の山が裂け、はるか記憶のむこうに、孕まれた原生の森がむくれだしたかのようだった。そこは六甲山系金鳥山中腹の保久良《ほくら》山周辺である。石器時代から崇められてきた大きな磐座《いわくら》が多く、古代祭祀の磐鏡も現存している。その地に保久良神社が祀られ、鎮守の森として守られたおかげだろう。石器時代の面影残る貴重な照葉樹原生林なのである。

その保久良神社西側に、二百五十本もの紅白梅が植林され、特に三月初めごろは梅香に包まれる。その梅林を通り、金鳥山から風吹岩を経て六甲山最高峰に向かう登山道がある。七年ほど前にも「道草」の同期仲間たちとハイキングを楽しんだ。市街地からも近いので、毎日登山や散歩コースになって市民に愛される保久良山なのだ。わたしが京都市立芸術大学に通い始めたころ、母は保久良神社に参り、大阪湾を一望して一日を始めるのだと話していた。特に保久良山の照葉樹原生林に生い茂る、シイノキ、ヤマモモ、クスノキ、モチノキ、ヤブツバキの緑深い原生林をこよなく愛していた。外来種の樹木群が侵入し群生し始めたころである。それは成長の早いニセアカシア。母はこのニセアカシアも好んでいた。

急峻な六甲山系に位置する、よく氾濫する住吉川西流域の御影に生まれ育ち、照葉樹林原生林やアカシア樹林が群生する、東流域の岡本に移り住んだ。わたしの二十歳ごろまでの環境である。後に住んだ比叡山中腹の庭に、母はニセアカシアの苗木を植えにきた。毎年、白い花が咲き、あたりいちめんアカシアの香りが漂うと、比叡山に棲む猿の家族も好んでやってきていた。

そして三十年近い月日が流れ、日本三大原生林の一つである照葉樹林原生の森が息づく南九州の環境に惹かれ、わずかの期間住んだことがある。

宮崎県綾町には二千ヘクタールにも及ぶ、「綾の照葉樹林」と呼ばれる日本最大級の原生照葉樹林がある。二〇一二年にこの貴重な森は、ユネスコの生物圏保存地域（ユネスコエコパーク）に指定されている。その宮崎県と鹿児島県の境に横たわる霧島連山は火を噴く神の山だ。天孫降臨の地といわれている。その霧島高千穂峰を囲むように、日向四代の神々を祀っている霧島六社権現と総称される一連の神社がある。霧島神宮、東《つま》霧島神社、狭野《さの》神社、霧島東神社、霧島岑《みね》神社である。鬱蒼と茂る山を背景にした霧島東神社は標高五百メートル、霧島連山に二十個ある火口湖の一つの御池《みいけ》を見おろし鎮座している。その御池に映った霧島高千穂峰の姿は神々しく、山の霊気と湖水の霊気が結ばれ、まさにひとつになっているのだ。

その美しい御池は、高千穂峰の神さまが、両手でひと抱えしたようなまん丸い形。わたしは御池が大好きだった。あの坂本竜馬がおりょうさんと登った高千穂峰には、御池の南から周り、霧島神宮の傍から山路を登る。山頂付近は紅紫色や墨色の溶岩がゴツゴツと山肌を覆い、えぐられたような火口曲面が拡がって、ダイナミックな火山の景色だった。伊奘諾尊《いざなぎのみこと》、伊奘冉尊《いざなみのみこと》が国づくりのときに、お使いになった鉾を持って降臨されたという天の逆鉾。その鉾が霧島山高千穂峰の山頂鳥居の向こうに、青銅製の三叉鉾で逆さに置かれていた。山頂にある神社は霧島東神社の飛び地境内で、天の逆鉾はその社宝だそうだ。

二説ある天孫降臨の地のもう一つ、西臼杵郡の高千穂にも訪れたことがある。アマテラスの神話に興味のある外国人観光客にはこちらの方が有名なようだ。高千穂峡の真名井の滝のある谷は深く険しい。切り立つ断崖や岩、その渓谷に奥行九メートル、幅十八メートルの巨大な洞窟、天岩戸神社がある。その天の岩戸はいかにも天照大御神が御隠れになったという神話にふさわしい。大きな胎内のようで、暗い洞窟内から眺める渓谷は、まさに霊気迫る神秘的な様相だった。いかにも霊力を持った大蛇が出てきそうな滝、蛇行する急流、巨大な地割れ崖や洞窟という景観は、神々しい雰囲気に満ち満ちている自然装置といえる。後世の人々は神話に従って、高千穂峰には青銅製の三叉鉾を、高千穂渓谷には荒立《あらたて》神社という猿田彦神を祀る神社を建て高千穂神楽の里としている。しかし、わたしが惹かれるのは、大自然の源泉、山の霊と水の霊がほとばしる大自然の力にある。原人の時代から新人の自然崇拝する精神性が生まれていく、神話が生まれる前のもっと原初、原始的な視座から見たいのだ。

森の宇宙、原初の感性

わたしが二年ほど仮住いに選んだ霧島の山麓にある高原町《たかはる》は、西に高千穂峰を背景に水が豊かで、東に田園や畑地が広がり、そこここに温泉が湧いている。毎日のように通《かよ》っていた温泉は、鉄分の多い極楽温泉という名でまさに極楽。道端では野菜やくだものの無人販売をしており、ミネラル豊富な霧島の水、天然ウナギや鯉、地鶏、宮崎牛、猪肉。高原町はまさに爽やかな高原の気候で楽園だった。近くには霧島連山の新燃岳、韓国岳《からくにだけ》やえびの高原などがあり、山から下ると眼下に広がる麓の高原は南ドイツの景色に似ていた。親しくしていた地元の人は「こんな田舎でなんにもないのに」と言うが、わたしにはなんにもないのが最高だった。もちろんなんにもないとは都会的なもののこと。日課にするほど通ったのは、御池の湖畔に広がる原生林の森だった。イチイガシ、タブ、スダジイ、イスノキなどの大木が林立している。森に一歩踏み入れるとたちまち別世界の空気だった。時に珍鳥のアカショウビンの鳴声も聴こえる。それこそ左脳はストップし右脳だけが働く五感だけの世界で、わたしから言葉は消えていた。

　高原町には神武天皇を祀っている狭野神社があった。神武天皇の生誕地とされ、日本書紀にも描かれている狭野神社の参道はとてもながい。杉の木木が立ち並び、いかにも神さびていた。狭野神社がある高原町は日向の西南端にあり、南の隣接地には鹿児島県の大隅《おおすみ》のハヤト、隼人町（現・霧島市）がある。

　一九九九年、京都から梅原猛氏が日向神話をたずねる調査の旅に来られた。後に『天皇家の〝ふるさと〟日向をゆく』という本を著されている。その調査の旅で、わたしは狭野神社や霧島六社権現の社や祭などにお供させていただいた。狭野神社の苗代田祭りでは、日向の民謡や祭事を数多く研究する、地元の民俗学者・鳥集《とりだまり》忠男さんともご一緒させていただいた。鳥集忠男さんは隼人言葉を話し、夜這の唄も上手に唄われる生き証人のような方だった。夜這の歌は遠吠えの如く独特の発声で、昔、東南アジアでコミュニケーションに使われていたという唄とも似かよっていると聞かされた。狭野神社の苗代田祭りで繰り広げられる田楽で、話す言葉は梅原猛氏もわたしもぽかんと蚊帳の外。何しろ鹿児島弁が色濃い方言なのでまるでわからない。津軽弁もそうだ。でも、面白可笑しいしぐさなどで笑いころげる。とてものんびりした素朴なものだった。縄文文化とつながる隼人文化の、なんとも大らかな自然観の明るい心が感じられるものだった。梅原猛氏も狭野神社の苗代田祭りは、祭りの持つ本来の笑いの精神を充分に残している、ずっこけた祭りであると述べている。

本筋からすこしずれたようだが、日本の古代から神話の故郷、今や貴重な原生林が残る宮崎、日向の歴史文化に触れることで、原初の人間が森林から感じたこと、人間の自然を見つめる眼力、森の宇宙観、原始の精、原初的な感覚から、「縄の発明」への道を手繰ることができるのではないかと思う。

森のなかに見つけた縄

ミズナラ、モミ・ツガ、アカガシ、タブノキなどの常緑広葉樹を中心とした照葉樹林は、かつて日本列島の西半分を覆っていた。縄文時代には照葉樹林は本州北端の海外線まで広がっていたともいう。もし縄文時代の日本列島を上空から眺めることができたら、黒々とした深い緑の森にすっぽりと覆われていたに違いない。

　宮崎の綾や霧島御池の森はさまざまな多くの生きものが思い思いに暮らすことができる、生きものの楽園といってもいいほど、森がいきいきと生きている。微生物、昆虫、鳥、爬虫類、哺乳動物、植物など、多様な生きものの営む音や声だけでなく、わずかの木々の隙間から射し込む太陽の光、通りわたる風の音、湧き水や滝の流れなど、森全体が一体となりひとつになって交響曲を奏でている。太陽、大気、地底、生物、全ての宇宙が一体となって、連続、連鎖している。

　カシ、シイ、クス、ツバキなど多様な樹種があるのに、一本一本の境や区別がないように、枝がからみ、根がからんでいる。隣に生えている樹木と、いつの間にか幹があわさって重なり、樹種が異なるのに、一本の大木になっているものもある。照葉樹の森にはいると、多種多様な樹木があるにもかかわらず、ひとつの大きな植物が森を形成しているかのように見える。多様であり、ひとつであるということは「縄の原理」に通じるのである。

個展《縄の森をくぐりぬけると…》2011年　ギャラリーA4（東京都）　撮影：八木夕菜
檜・ヒバなどの大鋸屑（おがくず）で綯った縄の林立によるインスタレーション。期間中は木の香りに満ち満ちた。宮大工の手がんなで削られた大鋸屑は、日本各地から月日をかけて集めたもの。背景の壁写真はアースワーク作品《エコー・オブ・ナワスケープ》。アイルランドはかつて豊かな森であった。この空間は森の再生、木の文化再生への願いを表わしている

生い茂る樹木の太い根は、ねじれ、赤黒い地面にうねる。絡みあう樹は太陽の動きを追いかける。ねじれ、空にうねる。どの根も岩を抱き、倒れた株を抱き、地を抱く。どの樹も光を抱き、湿気を抱き、空を抱く。大地に根をおろす樹や人間の目からすれば、太陽が地球の周りを左から右へ、右回転しているように見え、地球は右から左に自転しながら太陽の周りを左回転している。樹は、太陽の運行と同じように右回転しながら上昇し、根は地球の左回転と共に下降し、成長しているとわたしは見る。宇宙のリズムによって、樹はねじれ、撚りがかかりながら天に向かっているのだ。だから、大樹は天と地をつなぎ、天界と地界を貫く。大樹の幹は中空になっている。縄の中空性とも通底するではないか。だから、螺旋回転している大樹に、宇宙の霊やエネルギーが往来するイメージが、太古の人間に湧いてきて、そのイメージから新人は螺旋状に上昇、下降する大樹に「縄のしくみ」を発見したのではないだろうかとわたしは想像する。

着生植物、羊歯《しだ》や苔は、岩や地面や、朽ちた木株や勢いにのっている枝にも、全てところかまわず着生している。大木や、まだ実生から育ったばかりの樹にも、藤やカズラなど蔓植物がねじれからまり、上昇しようとする枝や幹を引っぱり、自らの蔓は上へ上へと伸ばそうと、まるで大蛇のように枝から枝へ渡っている。藤蔓は二本がひとつになり、完全な左縄になっているものまである。藤蔓が縄を創っているのだ。真直ぐにすくっと伸びたイチイガシの巨木の樹皮が、まるでだれかが描いたかのように鮮やかに、渦状紋様になっている。まさに縄紋様そのものを樹が創っているではないか。森は多くの縄をつくっているのである。

綱荒神、地霊

ホモ・サピエンス、新人や縄文人につながる三ヶ日人が生きていたころの、われわれの先祖は、地球の荒々しい火山の噴火、地震や地殻変動にも直面していただろう。太陽が昇り沈む、明るい世界と暗闇の世界に浸り、暗闇になると、満天の星、無数の流れ星。また突然、太陽が欠ける日蝕におののき、銀河、天の川、太陽の運行、星の運行も見ていただろう。湿原で暮らし、森林で暮らし、おそろしくも美しく、不可思議な光と闇のおりなす世界で、人類は飢えや寒さに耐え、考え、観察して生き抜く力を培ってきたに違いない。

毎年十二月十四日におこなわれている宮崎県西都市の銀鏡《しろみ》神楽《かぐら》を観に出かける機会に恵まれた。一九九七年、山の冷気迫る闇のなか、まさしくわたしに再び落雷のような感覚体験が蘇ったのだった。六甲山麓の照葉樹林原生林が残る岡本に住んでいた当時の一九七二年に体験した最初の縄の戦慄、あの感覚体験だった。真夜中になって、かがり火さえ目にかすむころ、二十一番の綱荒神の舞が始まった。すると突然、わたしの目からとめどなく涙が溢れだした。一対のお綱様が頭を交差して座られ、その背後に綱荒神様がお座りになっているお姿に、わたしは何かようやく巡り逢えたという、懐の深い喜びに満たされるような安らぎを覚えた。長いあいだ、遠くの闇から闇をさまよって、ようやく出会えたような、それでいて突然、眼前に現れるといった感じだった。それを何だとは言えないが、確かに「在る」としか言いようがないものだ。この感覚からわたしは、縄そのものが人間の本質、生きるエネルギーの本質を導くということを再び確信することとなった。そうして縄を希求するわたしは宮崎の照葉樹の森に、生きることの本質を見つけたような気がした。

銀鏡神楽の衝撃を受けた翌年の春、わたしは住み慣れた比叡山中腹のアトリエから、高千穂山麓の宮崎県高原町に棲まいたいと願うようになった。それは天と地の気が満ち満ちる高千穂の峰の優雅な姿と、その裾野からうねり連なる照葉樹の森に、わたしのなかの無意識の奥深い何かが、押しやるからだった。

冒頭に述べたあの感覚体験に始まり、銀鏡神楽の衝撃から照葉樹の森の何か地霊のようなものにたぐりよせられたようだ。銀鏡神楽の縄文文化に通ずる目には見えない世界を体験した。この感覚体験は新人類の感覚や宇宙的直観力などにも通じているのではないか。森への畏敬や感謝、神に捧げる神楽という神と人との問答のように、森と縄の関係を考察したい。いにしえから世界の人類が森、大地、自然に対して抱いてきた大地母神や、各地の神話など人間の精神コスモロジーについてはまた後ほどの章で考察したい。

人類の閃き　宇宙的直観

現代人よりも宇宙的直観力が発達し、きわだつ感覚で鋭く自然の営みを洞察していたホモ・サピエンス。人類は森に学び、宇宙に学び、縄を自らの手で、最初に綯《な》う技術を編みだしたのは、照葉樹林帯に住んでいた北京原人やアフリカの肥沃な湿地帯の原人や、古モンゴロイド新人かもしれない。地球上で同時発生する人類の脳力、能力、創意工夫、手技などあるのだから、森や湿原に棲む人類なら、どの地域でも縄の技術を発明したにちがいないとわたしは思う。火を使い、火を起こし、火の発明をした人類は、その同時代に縄を発明したと考える。

特に縄文人はその叡智から、縄を特別のシンボルとして、大地の土に生命のかたちを大切にとどめたかったのではないか。縄文土器を女性がつくったとされるのも、子を孕み産む母体を通して、生命を愛おしみ「生命の本質」を感得していたからではないだろうか。太陽も、縄も、樹も、あらゆる生きものは、螺旋に回転し、朽ち果て、生から死へ回転し、また回転して、再生する生命のエネルギーを孕んでいるということを感知していたのだ。生命の水を貯える大地の土、それを土器にして再生する生命のエネルギーを封印し、生命の螺旋回転、永遠の繰り返しを祈ったのではないか。だから縄を回転させ、土器の表面に縄紋を描いたのだとわたしは思う。

4 人類と手、縄の発明

発明のカギは親指

ネイチャー誌に発表された新たな研究で、アフリカのさまざまな集団の千二百人以上のミトコンドリアDNA（母系で伝わる遺伝情報：mtDNA）に保存されている遺伝子を調べた結果、解剖学的な現代人は、ザンベジ川の南、ボツワナの湿地帯に出現したと明らかにされた。われわれ現代人のルーツは、アフリカ・ボツワナ。そして縄の発明にからみ、乾燥地帯でなく豊かな湿地帯に暮らしていたのだということに、あらためてわたしは注目したい。そして何よりも、人類が二足歩行したことで手が自由になった。手で作業することができるようになったこと。この手に着目したい。

『人間の手の物語』（ウォルター・ソーレル著）に、非常に興味深い、親指についての一節があるので紹介したい。なぜなら、縄を綯《な》う手作業では親指が重要なカギとなるからである。

「人間の手とゴリラやチンパンジーのような類人猿の手をくらべた場合、その差異はどこにあるか？また、猿の手と人間の手には、何か共通に見られる特徴があるか？（中略）私たちの手をそれに先立つ類似の器官と区別し、それに『生命』を与え、それを『人間の手』と呼ばれ得るものにしたのは、いったい何であろうか？――それは人間の『知性』であった。それによって、元来は物をつかんだり摸索したりする爪のある足に過ぎなかったものが一種の道具に変わり、頭脳の要求に調和した手――頭脳の命令に応じ

て無意識に働き、その命令を遂行する手――が形作られ、（中略）知性の発達につれて手が発達し、また、手の発達につれて知性が発達してきた。その結果、手は単なる道具であるにとどまらず、私たちの意識的、無意識的な精神作用を象徴するものとなったのである」「自然がほんとうに手の実験を始めたのは哺乳類が出現してからのことであり、さまざまな形の手が発達した。（中略）ついに類人猿が出現するにいたって、手は人類に見られる完成の域に迫ったのである。（中略）しかし、頭脳の発達が不充分で手との調和に欠けているため、類人猿の手は、まだ単に物を把握し摸索するに過ぎない」「猿の手は、一見したところ人間の手によく似ているが、筋肉組織が異なるため、掌と親指と他の四指が別々に働くことができない。（中略）人間以外の霊長類の手と人間の手をくらべた場合、そこに見られる最も明白な相違は、物を把握する機能にある。類人猿の手は、親指が比較的未熟であるため（中略）洗練の極に達した人間の手にそなわる『正確な把握』には遠く及ばない」

として手の発達を辿り、親指の表現力こそが人間の最も個性的な成長を物語っているとする。

親指こそ人類の縄の文明を拓く

さらに同書は続けて、「人間の体の進化を、最もはっきりと示しているのは親指の発達である。アイザック・ニュートンは『他に何の証拠もなくても、人間に神の存在を確信させるには親指だけで足りるだろう』と言っている。（中略）人間の手が他の動物の手と異なる最もいちじるしい特色は、その親指が他の四本の指から独立していることだ。それは人間に、長さ・幅・厚さの三次元の感覚を与える。また、それは運動性と対向性に関して最大の活動範囲を持っている」「人間の性格を、支配し調整し決定するのはあくまで親指である」「親指は、他の四本の指から完全に独立していること、掌から横に突き出していること、また、その付け根が無意識のゾーンにあることによって、独自の地位を占めている」と、親指の重要性を強調し、親指を「人間の最も意味深長なシンボル」と表現している。初期の人類が手に魔力があると考え、手で悪霊を追い払ったり病気を治したりした者のことなどにも触れつつ、人間が常に手を意識し、手の技術の重要性を絶えず感じてきたとも指摘している。

アート作品で注目されるのは、『手の習作』や『神の手』、オーギュスト・ロダンの彫刻である。親指が力強く表現されているのだ。芸術家の直感で、親指の重要性に着目していたに違いない。

縄を発明するには、その人間の手、親指に秘密があるとわたしは思う。親指が人間の手に備わったことで、ゴリラなどのような他の動物の道具の使い方とは、全く異なる動作ができるようになった。複雑で微妙に繊細な動きを可能にした親指によって、人間独自の手技ができたのだ。親指こそ人類の文明を拓くキーとなったのではないだろうか。

綯う技を発見、縄を発明した人類

新人は、ユーラシア大陸の森林で暮らすなかで、夜行性動物、猛獣などに襲われないように、また寒さに堪えるように、焼く、蒸すといった調理など焚火の文化も発達したに違いない。弓矢、槍、釣り針などの狩猟に役立つ道具の開発。そんな環境の中で、どのように綯う縄の技を発見、発明したのだろうか。

豊かな湿地帯には、葦やヨシなど単子葉植物の群生がある。ホモ・サピエンスは、葦やヨシをなんらかの利用に考えたに違いない。身体にまとうもの、束ねて囲うもの、寝床に敷くもの、つぎつぎに利用したはずだ。ダムをつくるビーバーだって、自ら生きるための環境を創造している。人類もさらに創造力を発揮したはずだ。そこで、葦やヨシで縄を綯うことを発明したかもしれない。葦やヨシの長い単子葉を紐のように利用しても、一本の単子葉ではプツンと切れやすい。石器の斧などを木片にくくりつけるには弱い。骨器の穴に一本の単子葉紐を通せても弱い。はてどうするか。一本の単子葉を、両手のひらで、こすりあわせるようにすれば、一本の単子葉は回転し撚りがかかる。それを二本同時に撚りあげる動作、すなわち綯うには長い親指が必要だ。

　チンパンジーやゴリラの手と人間の手の形が、決定的に異なるのは、親指のつき方である。道具を使う猿でも縄を手でつくることはできなかった。猿の親指は人間のそれと比べて極端に短いために、両手で撚りをかけて綯う手技ができない。猿が両手両足でかなり苦労し工夫すれば、ひょっとしてできたかもしれない。また、織物を織るように巣をつくるウィービングバードのような鳥もできたかもしれない。協同作業をする動物もできたかもしれない。しかし、「螺旋廻転する縄」に閃いた動物は、人類以外にいなかったのである。この閃き発見、「螺旋廻転する縄のすごさ」に閃いたということがポイントなのだ。

　両方の手で縄を綯うしぐさをするには、親指が重要な役割を担う。偶然であったかもしれないが、親指の動きで二本が一本の縄になったと想像できる。この親指が「縄の文明」を拓き、発達させた人類の源の一つではないだろうか。同時に人間の直感、閃きの力が重要だったのである。

　人類は大宇宙、天空の動き、自然の動き、植物や生きものの成長など、自然と共にある営みのなかで閃き、「縄を発見」したのだ。その閃きから人間は、親指の発達、頭脳の発達と共に、人間同士、仲間同士、助けあう心を育み、ようやく「縄の発明」ができたとわたしは考える。

　山棲みの暮らしを営んでいた原人、新人、三ヶ日人や縄文人も、森のなかで感動し、心ゆたかな鋭い感性を自然に培っていたのだと思う。天空の世界、宇宙のエネルギーや、霊の世界を五感で感じてきたにちがいない。彼らは、地球に棲む古代の他の人類と同じように、太陽の動きや太陽の恩恵、自然の摂理、それらを熟知していたはずだ。物理学や生物学などの学問がなくとも、彼らは天空の世界と大地の世界を全体として、バクテリア目線、虫目線、バードアイなどあらゆる目線で自由自在に、一つの宇宙として捉えられる体感があったにちがいない。ナスカの地上絵、ラスコー洞窟画、巨石ドルメンなど、それを示唆する多くのものが残っていることからも想像できる。

噴火爆発している火山から、溶岩が流れだす。落雷で森林が燃えあがる。台風、竜巻、強風によって木々が擦れ、摩擦で火が燃えあがる。激しく厳しい自然のなかで生きぬいてきた原始の人類は、どのように耐えしのぐ技と知恵を育んでいったのだろうか。

今まで考察してきたように、原始的五感や魂を自在に飛ばす超感覚によって、地球上に棲む人類は螺旋廻転の動き、螺旋のエネルギー、螺旋のパワーなど大自然界の摂理や営みからキャッチしたに違いない。そして、人の手指の発達も人類の人類たる所以として見逃せない。

超感覚　森の孤独と幸福

森林の豊穣な生や性の絶えまない営み、バクテリア、藻類、カビ、キノコや多様な植物は、なぜこんなにもあくなき生を求めつづけるのだろうか。倒れた樹に苔むし、朽ちる幹を養分に、新たな樹が朽ちた幹から芽生える。さらに虫が食べ、微生物が食べ、雨に洗われ、朽ち果てて土に還る。そこに生命の循環がある。

生い茂る森では、ツタや藪、枝、倒木が道をさえぎる。人は獣みちを辿ったにちがいない。小枝の木片などで道を開きながら歩む。大きな樹木に絡みつく太い蔓、むくむく根が盛りあがる大樹、瘤、皺だらけのモリモリうねる大樹、泰然と雄々しくそびえる大樹、倒れた大樹に実生から成長した株立ちの大樹、鳥や動物が巣にする樹洞の大樹、枯れ株立の一本株だけ勇猛に茂る大樹、芳香を放ち旺盛に枝を広げる大樹、樹液を滴らせ、甘い蜜に群れる昆虫に養分水分を提供してくれる大樹など、それぞれ個性溢れる樹々が森となす。森の生態は限りなく生命を産んでいる。

不思議なことに超感覚的な体験をしたことがある。カナダのオンタリオ湖近くの小さな森の湖畔に滞在していたときのことだ。ある晩、夜中に目覚め、外に出るとあたりは漆黒の暗闇。満天の星が黒い湖に映り、完全に天地逆転の空間になっていた。わたしは浅瀬の水際で足がすくんでしまった。全く、宇宙空間の真っただなかに遊泳していると感じたのだ。はるか遠い地球を銀河宇宙から眺めているわたしがいた。

京都の鞍馬寺から貴船への登山道にて　撮影：著者

映える満月を地球だと錯覚したのだ。それにも気づかず、銀河の片隅にいるわたしは、音のないひとりぼっちの感覚、いい知れぬ孤独、恐ろしいほどの寂寥《せきりょう》を味わった。翌朝、湖はすっかり森を映していた。森のふかふかの枯れ葉の小径を歩いていくと、いつも見ていた樹々や紅葉や落ち葉もみんな、わたしを見て微笑んでいるではないか。偶然出会った鹿やチックモンク（シマリス）まで、立ちどまって微笑み返す。わたしはなんともいえない平穏な大らかな優しさに包まれた。森の一員、家族になったような心地だった。わたしは宇宙空間に漂う小さな塵ではない。孤独ではない。地球に棲んでいるのだ。この平安、幸福感は忘れられない体験になった。

森の大樹の下や大きな樹洞は、熊たちだけでなく、人類の棲家にもなっただろう。大樹によりかかり家族が集う。ふかふかの枯れ葉が発酵し、暖かい寝床を提供しただろう。木の実を拾い、狩をする。枯れ枝を束ねる。枝を折る、樹皮を剝ぐ。細木の幹や枝葉で雨風や外敵を防ぐ覆いや囲いをつくる。小石を投げつける、叩く。枝の棒きれで突く、叩く。柔らかい木、硬い木、扱いやすい曲がり木など見つける。固い石、粘り気ある石、割れ石を見つける。さあ、道具の始まりか。旧石器時代、二百万年前には石鏃や石斧もつくられた。人類の手の延長に道具ができた。

石斧で動物の骨や角を割り、皮を剝ぐ。石斧に柔軟な木を、二つ折りにして石斧を挟んで固定する。あるいは木で石斧身をぐるぐる巻きに固定する。樹皮で紐をつくり、石斧身を柄に縛りつける。あるいはゴムを塗りつけ固定する。あるいは松ヤニを塗り固定する。石斧に柄をつけ発展させていった。石斧で樹皮を剝ぎ、立ち木から板を剝ぐ技まで考えられた。木を切り倒すのではなく、剝ぎ取ることで、板を手にいれた。しかも、入手したい長さや厚みの材だけを剝ぐので、幹回りの樹皮を残し、樹芯を守る。なんと樹を生かしながら利用する技だ。森の生態を守る技ではないか。

旧石器時代、新石器時代を超え、現代に至るまで斧は有用な道具となっている。この斧のように人類がつくりだした道具の使い方には、自然のなかに生きる一員としてのマナー、失ってはならないルールがあるのだ。あくまで樹の生命を守る。原子力、核という道具を見つけてしまったわれわれは、さらに重い課題を持っている。森は、大切な恵みをもたらす家族であることを忘れてはならない。

わたしがカナダの森で体験した、宇宙や自然と一体となった感覚、母なる森に抱擁された感覚、森への沁み入るような愛しみの感覚は、人類の本能的な感覚だったのではないだろうか。このようなナチュラルな感覚は、人類が初めてつくる道具や、その目的、行為の根本精神に作用するように思われる。森に生きる人類の精神の根っこには、宇宙、自然、その全体がひとつになっており、森がひとつになっている世界観があったのだ。それは理屈なく「ホール」、丸ごとそのままを感じて、受けとめる感覚、五感もしくは六感、七感の体感である。この世界観で生みだされる道具が、いかに重要で大切なことであるかと考えさせられるのは、わたしだけだろうか。この根本精神こそ、地球に棲む生きものに共通する自然なルールであり、マナーであったのではないだろうか。

原始の火　両手を擦るしぐさ　人類の祈り

『原始時代の火』（岩城正夫著）によると、木片二つを摩擦し発火させる火起こしの技にはキリモリ式、紐ギリ式、弓ギリ式、マイギリ式、ノコギリ式、火花式がある。キリモリ式、まさにキリを揉む動作では両手で木を挟み、擦りあわせるように木を回転させるのだ。キリの擦れるもう一方の木片（火キリ板）の表面が擦れてしだいに摩擦で熱くなり発火に至る。まさに両手で螺旋回転させる技だ。このような発火の方式を、アフリカの狩猟採集民族はなんなく日常に使用している。

原人の暮らした時代を思うと、火打石はともかく、このようなキリモリ式など火起こしの仕組み装置としての道具に至るには、相当な試行錯誤の時間があったことと想像する。その点、縄綯《な》いの技はそれよりもっと偶発的に生まれることがあったと思うのだ。回転によって繊維に撚りがかかる瞬間や、その撚られた繊維同士が、反対すなわち逆に螺旋回転しただけで、勝手に縄になっているのだから。縄はキリモリ式のような道具をつくる前に、発明されていたやも知れない。火の威力に目覚めた人類が自らの手で火をつくり、生かし応用していくのと同時発生的に、縄の威力にも目覚めていたはずである。

　人類は火の恐ろしさや焦げ焼ける破壊力、肉食獣を追い払える力や、火の熱さ、暖かさ、明るさなどを体験しつつ、火の威力を経験していただろう。中国雲南省の百七十万年前の遺跡から、火を使った跡が発見されている。二十万年前ごろ、北京原人が火を起こし使用していた痕跡も見つかっていたが、さらに百万年以上もさかのぼる。火を起こす、火を運ぶ、さらに焚き火から炉の火へと、火を保ちつづけることで人類の暮らしが広がった。落雷、火山噴火や自然発火でなく、その恩恵に気づき、自らの意志と自らの手で、どのように火をつくりだしたのだろうか。人類は火打ち石でカチカチ火花を出す技や、二つの木片を擦りあわせ、火の子が散り始めると、間髪を入れずに燃えやすいものに火をつける方法を見つけた。人類の観察力と洞察力、工夫力には驚かされる。二つの木が擦れる、石が擦れる、摩擦によって熱が生じる、そこで擦るということを発見したのだ。

　その発見の第一歩としては、人間の両手が使えたことが重要なポイント。寒さに凍えると、思わず二つの手、両手を擦る。手を擦りあわせるとエネルギーが生まれるとまでは知らずとも、手が温かく熱くなることを知る。また、恐怖におののき頭を垂れ、また天を仰ぎ祈る。そのとき、人は本能的に両手をあわせ、擦りあわせるしぐさをする。それは生命を守りつなぐしぐさなのかもしれない。

このように両手を擦りあわせる瞬間、両手の間に柔らかい樹皮や草や毛髪などの繊維がはさまっていると、それらは螺旋回転する。螺旋回転エネルギーが両手の間に生まれているのだ。その螺旋回転によって、繊維に撚りがかかる。そうして撚りのかかった繊維が、たまたま反対方向にまた撚りがかかると、一本の縄ができるのである。こうして縄が生まれたとわたしは考えている。人類は火起こしの技を発見、発明したときには、この撚りがかかる螺旋回転の縄をも発見し、発明していったと考えるわけだ。

人類の祈り、一心に願う心や一途に祈る心から、摩擦の原理を知り、そして縄綯《な》いの技にまで発展していったと思う。縄の発明に至るまで、世界のそれぞれの大陸で、十万年ぐらい年月をかけて、完成していったと考える。はるかずっと縄文人以前、湿地帯で暮らしていた原人や森林で暮らしていた原人の旧石器時代から、縄は人類の普遍的技として発明されていたのである。螺旋回転の縄は「人類が生命を守りつなぐしぐさ」から生みだされたものだという結論だ。

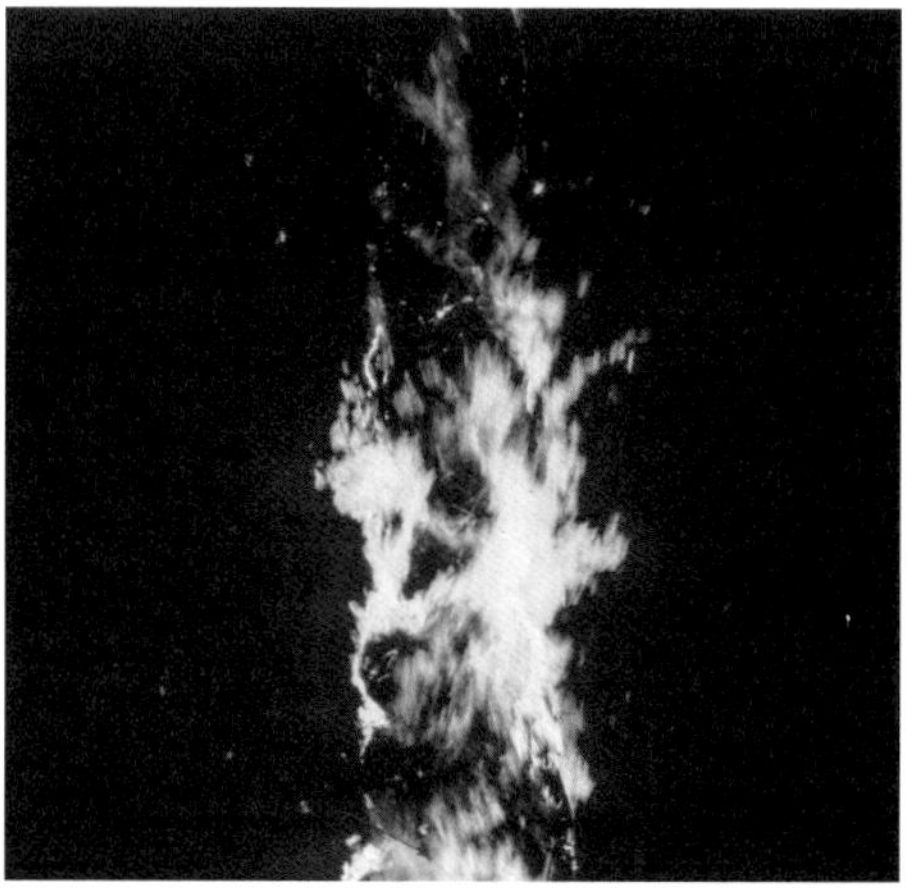

炎を上げて燃える縄の塔　《NAWA LINK》プロジェクトにて

霊的な見方をした古代人は、火は人間と神との媒介、火の神はあの世とこの世の媒介とする。縄もあの世とこの世を媒介すると同様に見ていたはずだ。螺旋、渦巻の形態に、多くの民族が、いまだにその霊力を信じる風習を持ちつづけていることからそれがわかる。

縄の発明により飛躍的に道具の用途は広がっただろう。紐という単線は強い引っ張りには弱い。撚りがかかる螺旋回転によってつくられた撚り糸やその太い糸縄は、紐

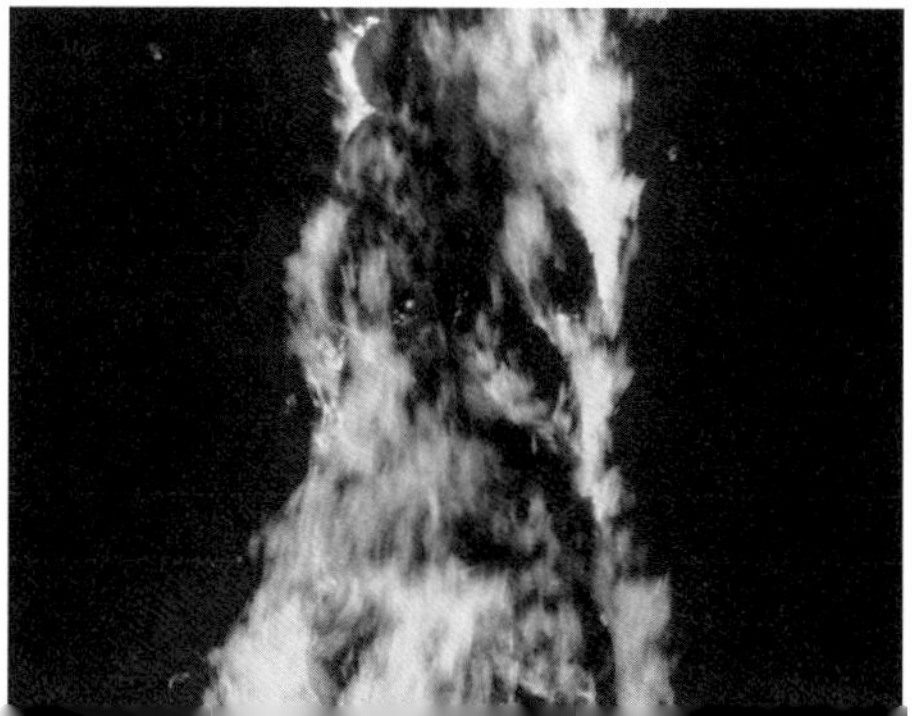

よりさらに丈夫なものとなり、格段に道具としての幅が広がったのはまちがいない。どんぐり、栃などの木の実を集める容れもの、籠や編み物。木や枝をまとめ束ね運ぶ。重い大きな石を運ぶ。狩猟の獲物をぶらさげる。雨風や寒さから身を守る棲家や衣服への応用だ。現代においても、撚りがかかる螺旋廻転の技なくして暮らせないほどに、縄は数えきれないほどたくさん利用されている。縄の発明は、いかに人類の文明に重大な影響をもたらしたか、計り知れないのである。

《うねり—Undulation》1993年
ソフトスカルプチャー展
ボメル・ファン・ダム美術館（オランダ・ヴェンロー）
地に潜り、壁を突き抜ける縄を制作　撮影：著者

III
縄と人間

1 渦の二つの力、両極性の矛盾

古代人と蛇信仰

古代文明のころにさかのぼる、蛇が自らの尾を噛んで輪をなす様の「ウロボロス」は、循環、永遠、円運動、死と再生、破壊と創造、始原、宇宙の根源、無限、完全などを意味し、多くの文化や宗教において用いられてきている。蛇は脱皮してさらに大きく成長し、長い間の飢餓にも耐える、強い生命力から再生の象徴とされる。蛇がみずからの尾を食べることで、始まりも終わりも無い、完全なものの象徴ともされた。

アステカ、ネイティブアメリカン、アボリジニや中国の文化にも現れ、ユングは始原のイメージとしてとらえている。円という観念には至ってないかもしれないが、日本でもかなり古く、一万年以上前の縄文時代からも、蛇の生命力、再生の力に信仰が見いだせる。古代の想像力豊かな先人たちは、連なる山脈には天地をうねる大蛇を、孤立する円錐型の山にはとぐろを巻いている巨大な大蛇を、祖神の姿と重ねあわせてきた。

縄文土器や土偶に蛇の造形が多く見られる。縄文人と蛇との関係は、動物と人間が対等に生きる、アニミズムの根底が影響しているのだろうか。アニミズム信仰の中で、山や森の強者は蛇の存在だったのだろう。

両性具有生物や、また成長の過程でオスからメスへ、メスからオスへ性別を変える生きものもいる。そういう蛇もいるらしい。わたしにとって生理的に蛇は気持ちわるく、できるだけ距離をとりたいと思っていたが、環境考古学者の安田喜憲氏がテレビで、吉野裕子著『蛇』の「日本の蛇信仰」の項によると、日本の注連縄は蛇の交合の姿だと紹介されていた。足のないニョロニョロ長い姿の蛇。目が光る。鱗も光る。ああ、気持ちわるい。

わたしの子どもたちが小学生になる前、タイの水上マーケットで大きな太いニシキヘビを首に巻いた男から、二人とも平気で首に巻いてもらっていたのだ。わたしは飛びあがって逃げた。なんという母親か。しかし、一つだけ蛇の美しい姿に感動したことがある。新築のアトリエに入居する日、玄関アプローチの目の前を一メートルもあろうか、真っ白な蛇が鎌首をあげふり返り、まるでわたしたちを案内するかのように、玄関口の方へスルスルと向かい、いつの間にか消えた。なんとも神秘的な優美な姿だった。そんな蛇もいるのだと驚きだった。白蛇は神さまの使いといわれる。やはり、古代人の蛇へのイメージをたどらねばならない。

対立、秩序の象徴

吉野裕子氏によると、中国の祖神は蛇で、この人面蛇身の夫婦神は洪水を逃れ、天の裂け目を繕って平和をもたらし、子孫を残して栄え、人間の祖先に高められた。それに対し、キリスト教では蛇は原罪をつくったものとして邪悪の根源と見なされている。エジプトでは毒蛇コブラは太陽、火のシンボルとされ、死者再生信仰となる。インドではコブラの神霊化のナーガ（龍神）の信仰。創造神ヴィシュヌの擁護者のナーガは宇宙エネルギーの象徴とされる。

ジル・パース著『螺旋の神秘』にもさらに記述されている。インドの神話から、原初の海、宇宙の蛇がつくりだす無数の渦の一つ一つがいっさいの万物で、地と水の力、生命力を体現するのがナーガで、この蛇は迷宮と同じ渦巻き型にとぐろを巻き、中心に叡智と神智を創造し守護している。

創造神ヴィシュヌは宇宙秩序を維持するために、宇宙の対立しあう二つの螺旋運動を互いに拮抗させ、悪魔と神々の群が互いに宇宙の蛇を引っ張りあう。蛇は宇宙基軸である曼荼羅山を取り巻いているので、両者の引っ張りあいは中心基軸の柱を回転させ、乳海をかき混ぜ、不老不死の水をつくりだす。人体内でこれが起きると、霊的エネルギーの循環となる。この人体基軸を取り巻く叡智の蛇をクンダリーニとして描いている。

また、一匹の蛇がからまった古代ギリシャのアスクレピオスの杖は医学のシンボルとされている。世界では緊急医療のシンボルとして広く使われ、世界保健機関WHOのロゴにも使われている。古代ギリシャ時代から、蛇の毒は命を救う薬にも、死に至らしめる毒にもなることが知られていたからだ。医学は「生と死」「病と健康」という二面性を扱い、蛇は猛毒性と、脱皮する再生というイメージを表現するシンボルとなった。

アスクレピオスの娘ヒュギエイアの杯も蛇が巻きついており、ヒュギエイアの杯は薬学のシンボルになっている。しばしばそれは互いに向かいあう二匹の蛇として図示されている。生命樹・人体の生命エネルギーの渦巻きは二つの絡みあった流れ、力として示され、この力を持つ蛇が人間に、主観と客観、善と悪、など認識と叡智を授ける。もし、蛇の力がその両極性の均衡を保てなければ、人間は下降する渦に巻き込まれてしまうが、体内の二匹の蛇が生き生きと拮抗しあえば、人間は多様性によって豊かにされた統一を獲得できる。

ネイティブ・アメリカンのナバホ族は呪術的医療として砂絵曼荼羅を用いる。砂絵の中に迷路のような道が四匹の蛇で表現される。蛇は特別に強い力を持った生きもので、四匹の蛇の道で構成される円の中心は魂の統合とされる。

右《NAWAブロンズ塔》小作品　２００５年
左　デルフィにて　２０１７年

平和、再生のシンボル

二匹の蛇から、かつて見た三匹の蛇を思いだす。それはアポロン神殿前に立っていたブロンズ製の三匹の蛇が絡みあった蛇柱である。実は、二〇一七年秋のギリシャ旅でデルフィを訪れたときに見たのだ。

紀元前四七九年、ギリシャ市民がペルシャ戦争サラミス海戦、プラタイアの戦で、ついにペルシャ帝国を撃退し勝利した記念碑である。ギリシャ民政は君主制のペルシャから自由と独立を守り、市民繁栄祈願の平和モニュメントとして、蛇柱を、ゼウスが世界のへそとした聖地に建てたものである。わたしは事前になんの知識もなく見た、約八メートルの高さの三本撚り蛇縄柱に、唖然としたのだった。わたしはＮＡＷＡブロンズ塔作品のミニチュアを二〇〇五年に制作し、自然と人類の絆、平和のシンボルとして世界のどこかに実物大作品を立てたいとずっと願っていたからである。すでに二千五百年ほど前にギリシャ人が、三匹の蛇が柱の上に巻きついて絡んでいる蛇の塔をつくっていたのだ。その蛇柱の塔は繁栄と平和のシンボルとして、コンスタンティノープルに移設されている。

メキシコ・マヤの蛇神ケツァルコアトル（羽毛のある蛇）は、アステカ文明において鷲鳥は太陽すなわち天、蛇は大地の精すなわち地であるので、この羽を持つケツアルコアトルは天地を結び統合する至高の神なのである。アイヌの祭礼に用いるイナウも鳥の信仰と関わっているということと、メキシコ・マヤとも関連があるように思われる。

一九七八年にメキシコに行ったとき、建築家ルイ・バラガンの自邸を案内してくれたベアトリース・トルーブラッドさんから、素晴らしく美しい本『ケツァルコアトル』（ホセ・ロペス・ポルティーヨ著）をもらった。魂を深く揺さぶる土偶のような土像や、浮彫りの石彫やオアハカのピラミッド風景の写真など、アステカ文明の人身供養から救った平和の神・文化の神ケツァルコアトルが浮かびあがる。スペイン語なのでわたしには読めないが、心うたれるに充分な書物である。ベアトリースが編集出版した本だ。ちなみに彼女の高校生の息子が京都のアトリエにしばらく滞在したこともあった。このように色々な国から多彩な人たちが滞在し、幼かった息子と娘が言葉は通じなくとも、それなりに彼らを世話し遊んでいたことも思いだす。平和の神・文化の神ケツァルコアトルは国境を越えてやって来た。

道教では、龍（蛇）が「タオ」の象徴である。渦まく雲のなかで螺旋飛行する龍は、海底の龍宮の宝物を守護している。そして曼荼羅は人間の霊妙体である蛇の力を示しているとされる。このエネルギーが悟りと全体生の状態（不動の中心を取り巻く渦まきの均衡）をもたらし、時間を超越した経験は、脱皮により死と再生を実現する蛇によって象徴される。

メキシコ壁画運動の中心的画家、ディエゴ・リベラは、アステカ文明の神話世界や農民労働革命といった民族主義的エネルギー溢れる作品を残し、イサム・ノグチも「メキシコは別天地だった!」と言って、力強く生気溢れる、セメントとレンガによる壁画を制作している。そしてあの画家フリーダ・カーロは写真家のティナ・モドッティの紹介でディエゴ・リベラと出会い結婚。そしてイサム・ノグチとも恋に落ちた。

わたしのメキシコ行きで、ルイ・バラガンやベアトリース・トルーブラッドを紹介した元ニューヨーク近代美術館(MOMA)キュレーターのミルドレッド・コンスタンチンは、わたしを最初にアーティストデビューさせた人物なのだが、彼女はティナ・モドッティのあえかなる生涯を著書にし、日本でも出版された。彼女をわたしのアメリカのお母さんと呼んでいた。話が広がってしまったが、「蛇」から渦巻くように循環し、人と出会い、人から人がつながり巡り巡って、螺旋を描くように人生の旅路を歩んでいると思う。そして、蛇という螺旋、渦が、いかに世界中の人間の霊魂の領域と一体化し、また古代から現代までも蛇のイメージ、男女の交わりにまで結びついているかを思う。

生命力、エロティシズム

七〇年代初期、わたしの縄作品のエロティシズムをミルドレッド・コンスタンチンは、イサム・ノグチの芸術に通じていると評していた。わたしが制作したローザンヌビエンナーレ入選作、一九七八年制作の《A Black Mark》(118頁)と《草の時》(13頁)について話そう。

ニューヨークで活躍の美術評論家ロバート・C・モーガンが「World Sculpture News volume 20 Number 4」に書いた「Shared Awareness(分かちあいの目覚め—八木マリヨのビジョン)」のなかで、「初期作品

《A Black Mark》1978年
マニラ麻、鉄、白川砂　350×175cm　撮影：庄野啓
兵庫県立近代美術館（現・県立美術館）「アートナウ'78」出展、第9回ローザンヌビエンナーレ入選作品

に見られる《A Black Mark》と《草の時》はセクシュアルな連想を誘う。《草の時》は錆びた大きな鍬のような形の鋼鉄板ベースからまっすぐに一本の麻縄が天を突き上げるように立ち上がっている造形」と評した。この鋤のような形態が、なぜセクシュアルなのかわたしはよくわからなかったが、ミルチャ・エリアーデ著『大地・農耕・女性』に書かれている「女性と鋤かれたうね」の項で合点がいった。それは、女性を鋤かれたうねと同一視し、男性生殖器と鋤を同一視して、耕作を生殖行為と暗示している。ユダヤ教、アッシリアの神話では「神の鋤は大地を豊穣にした」とあり、オーストラリア先住民アボリジニも、女性を大地に見立て、棒を押し立てる豊穣儀礼もあるというのである。そういえば、前述の狭野神社の苗代田祭りも同じような田楽だったことを思いだした。

《A Black Mark》は女性生殖器と男性生殖器があわさったと見立てることもできるかもしれ

ない。麻縄と同幅の細い鋼鉄板二枚で、一本の剛直な麻縄を挟みつけた構造形体は文字「Ｘ」を綴り、花崗岩砂敷に自立させたシンプルな造形。ロバート・Ｃ・モーガンは「これらは縄の本質を詩的な表現で、ＤＮＡの野心、生命の根源、人類が互いに惹きあう関係、対話的遭遇を表した。これら初期作品は八木に国際的アーティストキャリアの扉を開き、ＮＡＷＡをグローバルな言語として世界に広めていった重要な作品である」と述べている。縄そのものがもたらす生気に、人は性的な連想をするのだろうか。再生、循環をも連想する。

　日本の神祭における蛇縄、綱引きなど、縄が蛇の象徴となっている。日本の注連縄は蛇の交合の姿と吉野裕子氏はいうが、わたしには相反する二つの力によって自己を実現する、再生エネルギーのイメージの方が強い。拡張上昇、収縮下降、二面性、両極性の矛盾を孕み、相克し再生する生命力、生命の根源を象徴するシンボルが縄だと思う。縄は深淵な精神性を持っている。宇宙の流転、自然の摂理、存在の根源、縄の構造、中空構造の形成と同じなのである。

上昇、拡張の渦

　その美術評論にも紹介された、一九八八年の制作で京都精華大学風光館に設置した《地軸》（9頁・１２０頁）作品は、十年間の抑圧、溜まりにたまっていた魂のマグマが吹きだし、人生の転機となった四十歳の記念碑的作品である。大地にしっかり自らの意志で、自らの力で屹立する縄の歓喜。完成後、詩を書いた。この詩はいまだにわたしは涙なくしては読めない。

《地軸》1988年　京都精華大学風光館・螺旋階段上方より撮影　撮影：八木夕菜

地軸

おどろいた　おまえ
地球の核の底から
マントルをつきとおってきたんだって
地圧の闇の底から
マグマをつきとおってきたんだって
熱かったかい…火傷はどうだ
苦しかったかい…圧傷はどうだ
そう―よく、やってきてくれた
ありがとう
ほら―太陽だ、大気だ
いいだろう　この宇宙

《地軸》作品は分厚いコンクリート床をぶち破り、吹き抜け階段空間に十メートルの高さまで伸びている。ある講演で「上の方になればなるほど緑がかった色になっていく縄の姿なのだが、柔らかい縄が固く立ちあがり陽光を浴びるさまである」とわたしが説明すると、クスクス笑われる人たちがいた。そういえば、一九七五年、ローザンヌビエンナーレ初入選作《The Root》の完成お披露目をすると、亡き母は顔を赤らめ恥ずかしがったことも思いだした。若かったわたしにはまったく意外なことだった。しかし、有機物である縄が垂直に立ち上がるというシンボリックな表現は、前述したように、人類共通の生命力を喚起するものであるのだろう。

ドイツのドクメンタカッセルは五年に一度開かれる国際現代美術展であるが、そのパラレルドクメンタinside展（一九九七年）に選ばれ制作した作品の縄柱を、カッセル市内のアシュロット公園に展示した。ところが完成まもなくして、何者かによって放火された。だれかが嫉妬したのか、三島由紀夫の『金閣寺』を思わせる出来事だった。共同通信でも大きく写真入りでとりあげられたので、その事件は日本でも知られることとなった。

両極の二面性

わたしは一九七八年二月二十二日、滋賀県余呉湖近くの木之本で、縁もゆかりもないにもかかわらず、なぜか伊香具《いかぐ》神社で結婚式をひっそり挙げた。その当日、偶然にも、まことに不思議なオコナイという祭事の光景にでくわした。大きな樽に溢れだしそうな白鏡餅をのせ、その樽には真新しくも荒々しい、稲ワラ縄がとぐろを巻いていた。羽織袴姿の男や白化粧の女装した男たちが加わり、掛け声とともに、鏡餅の樽を担いで神社にやってきたのだ。神社拝殿に祀られた、鏡餅の樽に巻きつけられた縄が、なんとも生々しかった。何の祭りなのか、まったく知らなかったわたしは、結婚式よりも、その地味な秘儀のような、奇怪な祭事に心が騒いだのだった。

わたしはそもそも湖北地方になぜ惹かれて行ったのだろうか。無意識に何かしらの原初的な厳かさを求めていたのかもしれない。この大きなしたたる白鏡餅と荒縄の対比は、強烈な心象となったのは確かである。そのうえ、吉野裕子著『蛇　日本の蛇信仰』の「鏡餅考」に、伊香具神社のオコナイが、記載されていたのでとても驚いた。祭神の伊香津《いかつ》臣命《おみのみこと》は日本各地に広がる羽衣伝説の最古とされ、五穀豊穣の神徳として祀られているとある。注連縄やオコナイの鏡餅に巻かれる縄、神木に巻かれる縄などが蛇を象徴し、蛇の姿が大きければ大きいほど、蛇の威力、神威も強いとされたのだという。この蛇縄は、現在に至っても日本各地どこにでもあり、縄文人の信仰にまでさかのぼるとみられている。これほど縄は、御神体として聖域をつくってきているのだ。

　蛇とは豊穣や善だけではない。光と闇という二面性をあわせ持つ。悪、邪、死、生死を往来。輪廻転生の動きをも象徴する。

　伊香具神社のオコナイの日から一年、わたしの人生は一気にしかも同時に、二元の両極端な光と闇の世界が展開した。息子が生まれ、翌年には娘が生まれたことが輝く光だった。闇は壮絶だった。結婚するや、再婚者であった前夫は無給同然の人であることを知った。彼が自営する環境事業計画研究所は、設立以来から長年の借金がとどこおっており、既に経営困難状態だったのだ。借財は膨れ火の車だったので、わたしもその仕事に巻き込まれざるをえず、わたしの母も働きつづけてきた蓄財で資金援助したのだった。そうして多忙を極めていたわたしが二人目の子を産気づいたとき、期せずして、母の身体に異変が生じた。娘が生まれ退院するまで持ちこたえてくれたが、余命二ヶ月と宣告された。息子一歳二ヶ月、生後七日の娘と六十歳の母、三人の生命がわたしの一身にかかった。そして、母はついに半年経たずして癌で亡くなった。

泥沼の渦、下降の渦

わたしが生きゆくものと死にゆくもののはざまで苦闘していた半年の間に、ふたを開ければ、前夫の研究所の女性事務職員によって不正経理が行われていた。わたしは妻である立場ゆえに、保証人となり、わたし名義の自宅兼アトリエを抵当などへ差出しを余儀なくされていたので、その多額の銀行負債や不渡り手形の処理のため、母の遺産の土地も手放さざるをえなかった。それで不渡りを出さず倒産は免れた。わたしが三十二歳のときである。孤軍奮闘中、乳幼児を比叡平保育園に預けていた。そこで知り合った嘉田由紀子さん（環境社会学者・参議院議員）のご家族と、家族の枠を越えて互いに助け合う、楽しい共同保育が始まった。各々の家で遊び、食事や寝かしつけもし、子供たちにとっても明るく賑やかな「家庭」となっていった。

前夫は子育てにも傍観者で、わたしの芸術への嫉妬もあり、感謝も表現しない典型的な、昔の昭和日本男性だった。まさに生き地獄だった。わたしは亡くなった母の無念を思い、乳飲み子二人を抱え必死で奔走した。前夫の研究所再建のため、わたしはアーティスト活動を中止し、純粋芸術とはほど遠い業務、複数の銀行や取引先との交渉や営業に明け暮れ、滅私の日々だった。そして運の良いことに世の中は好景気だったので、パブリックアートコミッションの仕事を受けることができ、日々の生活資金を得ることと、再建資金を注ぎ込むことができた。しかし、人生の貴重な三十代の十年間が瞬く間に過ぎ去った。この十年間の出来事は、沈黙は金だと周囲のだれにも、親戚にさえ口を閉じていたので、事実に反し、わたしがとても恵まれた環境のもとで、悠々とアート活動ができたのだと噂されていたらしい。

その研究所経営が持ち直した年、苦しみの末、離婚。子どもの養育費も支払われなかった。金銭うんぬんではなく、父親として四人目と五人目にあたる二人の子どもへの愛情の薄さが最も辛く悲しかった。

この劇的な激変、心身の限界、生死の彷徨、奈落の底の闇、泥沼の渦にずぼずぼと足をとられ、闇は底知れなかった。しかし、いつしか、一条の光の糸が降り、どん底沼から一歩一歩、螺旋階段を上がっていたようだ。ポッと生まれては消え、消えてはポッと生じる素粒子のように、禍福はあざなえる縄の如し。そして、あの「地軸」の詩が生まれた。八木マリヨとして復活再生したのである。娘と息子に恵まれた光明によって救われたのだ。地獄を見れば見るほど、闇が深ければ深いほど、光は眩しく輝いた。わたしは死なずにすんだ。

矛盾する螺旋の渦

はるか遠い生命の水底から母の胎内に宿り、へその緒でつながっていたわたしは、人生の螺旋の渦をたどり成長してきたのだ。その螺旋は上昇、拡張の渦巻であった。人生は突如にして一転、逆方向に収縮、下降の回転渦巻となる。しかし、収縮下降の極限に達すると、拡張上昇が始まるのである。収縮下降が激しいほど、拡張上昇も大きくなる。このように、一生の間には生命の樹を登ったり降りたり、螺旋運動を繰り返す。この繰り返しの螺旋回転で、不動の、空の中芯軸が形成されて、そして遂には、もと来た宇宙の源に消え去るのだと思う。

ゲーテの若いころは、内面にひそむ悪循環的な、果てしない反復や不毛な堂々めぐりに苦しんだ。まさにアルベール・カミュの『シジフォスの神話』。巨大な岩石を山の頂上にまで運びあげ、頂上に達するや、その岩石自体の重みで転げ落ちてしまう。シジフォスは同じことを未来永劫にわたって繰り返さねばならない。そこで、ゲーテは植物観察によって、上昇し拡大する螺旋運動のうちに求め、最晩年の論文『植物の螺旋的傾向』を書いたのではないだろうかと、芦津丈夫氏は「ゲーテの螺旋表象」(「モルフォロギア ゲーテと自然科学」1988巻10号)で述べている。

わたしは高校生のとき『シジフォスの神話』を読み、虚無感が沁みいっていた。ひょっとして無意識であるが、わたしの「あの衝撃の縄との出会い」によって、矛盾する螺旋の渦に巻かれ、縄にこめられた、ものの根にわたしは綯《な》われてしまったのかもしれない。そして、先に紹介した「ものの根」の詩を書いたのだろうと思う。

縄は螺旋に進む姿なのである。

渦の反転

おひさまに暖められた水蒸気が渦となって空高く上がっていく。渦の底にいるころ、いつも空を仰いでいたわたしがいた。

飛行機が離陸し、どんより滞った都会のスモッグや厚い雨雲を突き抜けると、さあっとおひさまの光がまばゆく差し込み、地上からは見えなかった澄みきった青空が美しく広がっている。そう、空の上にも空があった。自分に覆いかぶさった暗転の空の上には、いつもおひさまの光かがやく空があるのだと気づく。心をポーンと空高く飛ばすことで生命を吹き返すことができる。こうして「空の上には空がある」と自らの心を飛ばし励ました想いを、二十四年を経て、絵本『おひさまはいつも』『くるんくるんくるん』(「ちいさなかがくのとも」福音館書店)として出版した。

地の苦悩の、渦の底には、恨み、憎しみ、負の泥沼があるのではなく、さらに奥深い生死の底の底にある渦の尖端には、笑いが磁力のように溜まっているのではないだろうか。この笑いは一気に反転させる力がある。底なしの笑い。揺るぎない大きな笑い。おおらかな笑い。あっけらかんとした笑い。

渦のどん底の突端点に立ってしまえば、反転し突きあげるように、「笑い」が湧きあがってきた。やがて娘と息子と母子三人の暮らしには、笑いの渦が絶えなくなった。毎月、小児科医院通いだった、幼少期の子どもたちもすっかり健康になった。わたしはマリヨとして生き返った。生まれて初めて歩いた歓びのように、再び、わたし自身の生命を生ききる幸せと感謝に満ち、わたしが真のわたしになったのだ。そうして、展覧会やプロジェクトに、国内はもとより、海外のどこへでも二人の子どもを連れて出かけた。母子三人の行脚だった。毎年、春休みや夏休みの数週間は海外で、朝から晩までずっと親子一緒に行動できることが何よりも幸せで楽しかった。国立ブラジル美術館での展覧会のときも、ポルトガル語が飛び交うなかで、小学校低学年の息子と娘は身振り手振りで、わたしの展示設営にも大活躍だった。

螺旋、渦状の「縄」の負と正、「自縄自縛」。渦は退化と衰滅、成長と発展、それぞれ下降と上昇の契機を抱え、下降収縮し、再び上昇拡張する。そして晴朗な天界へ、また胎内回帰へとつながる。宇宙のダイナミズムの中で再生、循環していくのである。「縄」の宇宙のダイナミズムなのである。

総合芸術のパブリックアート

わたしの渦が上昇、拡張の軌跡に乗り始めた当時、世の中はバブルに踊っていた。街角とは、子どもも老いも若きも、市民だれでもみなに開かれた、公共というパブリックスペースである。ところが公共事業にもかかわらず、無策のまま、ふさわしくないモニュメント彫刻や裸婦銅像なども、街角に置かれていた。

一九八九年から始まった都市開発計画の一環として、大阪・千里中央駅ターミナルの外構ひろばエリアに設置するモニュメント彫刻の注文があった。当時の傾向として、土木建築設計や都市計画などは、工学的分野が優先していた。都市再開発、合理画一化、経済至上主義優先と環境破壊に、わたしは加担したくなかったので一旦断った。それは、地方を見捨て、都市を誇大に飾りたて、自然、地球を蝕み、心も蝕む方向へ進む。一人一人の心を癒す場所が身近になくなり、人々は身の丈を見失う。まさに、下降の渦にいるとも気づかない社会の流れに対して、ストップをかけたいとわたしは考えていた。

公共の場に設けるモニュメント彫刻、パブリックアートは、単に都市の飾りものではないのだ。また、美術館やギャラリーなど限られた空間で展示する純粋アート作品でもない。社会的責任を自覚し、置かれ

上・中　《地球縄ひろば》 1991年　千里中央（大阪府）
「千里地層形成物語」をテーマとした環境彫刻（現存せず）　撮影：畠山崇
下　《クロノス／時の化身》 2008年
かつての「地球縄ひろば」跡地に設置　撮影：海野隆

る環境、風土や歴史的景観をも考慮した作品でなければならないのである。それにもかかわらず、美術館やギャラリーで鑑賞するような作品をそのまま、公共の場に据えつける公共事業主が多かった。宝塚市街のブロンズ裸婦像設置を巡って、市民からクレームが出たこともあった。わたしはアーティスト自身のエゴに陥らず、景観や社会背景を考慮しなければならないと考えていた。パブリックアートにたずさわるなら、いわゆる単品のモニュメント彫刻でなく、広場のあり方から提案するべく、基本設計にたずさわることを条件に、千里中央の駅ひろばのパブリックアートを引き受けることにした。

世界の芸術は都市を拓く

この千里中央に構想した《地球縄ひろば》の基本設計に当たっていた一九九〇年、ワシントンで開かれた国際彫刻会議に参加した。ＩＳＣ（国際彫刻センター）発行「スカルプチュア」誌のパブリックアート特集で、《地軸》作品が表紙になり、わたしの環境芸術作品数作が掲載された経緯からだった。ＩＳＣ代表のデイビット・ファチャゴットは「閉ざされた美術館などの場から、ブランクーシが彫刻を公園へと門戸を開き、イサム・ノグチが庭園や広場彫刻へと発展させた。情報社会時代の下、地球環境の危機、国際社会の変容の状況により、『芸術は都市を拓く』と土木景観、環境へと世界の彫刻界は、パブリックアートに方向軸を展開している」と開幕宣言した。パリ在住、イスラエルの作家ダニ・カラヴァンは「用途や機能のない建築・用途や機能のある彫刻」と題し、人間が幸福を感じる空間を創造することだと、自身のパブリックアートをイサム・ノグチへのオマージュとして紹介した。現代美術界で最も影響のある、五年に一度開催のカッセルドクメンタ展にも選ばれているダニ・カラヴァンは、のちにわたしの環境芸術作品《地軸》《京のコスモス》などを直にわざわざ見に来てくれたので、わたしもドイツやスペインにある彼の作品を訪ねた。

ユダヤ人である彼は、ドイツ・ケルン大聖堂の広場の一角に設置するパブリックアート作品を依頼されたのだ。それは、あのアウシュビッツを象徴する鉄のレールを敷き、その終点にモニュメント彫刻を立てたメモリアルとしての作品だ。ドイツ政府の懐の大きさもさることながら、彼の芸術家としての社会的使命を強く表現していることがわかる。日本において、フランスのセルジ＝ポントワーズにある《大都市軸》が有名となり、札幌芸術の森や霧島アートに招かれ、その後、彫刻家井上武吉の構想をダニ・カラヴァンが、公園全体を彫刻として環境芸術作品にした。その室生山上公園芸術の森を数年ほど前、訪ねたことが

《京のコスモス》
1987年　玄武岩、アフリカ黒御影岩、ステンレス
京都府総合見本市会館
環境彫刻で京都北山の風景を創出した石彫噴水広場　撮影：畠山崇

ある。

かつてわたしに語られたイサム・ノグチの言葉、「彫刻には苦闘がある。苦闘のない彫刻は彫刻ではない。自然の声、人の話をよく聞き、役にたつ彫刻をつくること。かつての古代人の芸術家のように」のとおり、世界の偉大な芸術家や世界のパブリックアートの潮流にわたしは大変啓発された。そして、ヨーゼフ・ボイスの「だれでもみんなが芸術家、自身のアイデンティティーを原点に」という言葉に触発されてきたわたしは、人が喜び、一人ひとり大切にされ、だれもがみんな主役になれる、そんな拓かれたひろば空間をつくることを決意したのだった。

工学的発想からではなく、総合芸術として、地域の風土や歴史、建築、造園土木、文化環境、現代美術（社会へのメッセージ）を、総合的な空間としてデザインする案をうちだした。それがわたしの生みだした景観芸術という概念だった。都市化によって地域社会が失った、心の拠りどころとなる「鎮守の杜」のような、みんなのための「社会の庭―心の庭」が欲しい。公共広場のパブリックアートこそ、子どもから大人までの心の栄養となり、知育環境を育む場となることが大切な役割だと考えた。

景観芸術　社会の庭　心の庭

この蝕まれつつある地球に暮らす、地球市民としての作法を、学びなおす必要を感じていたので、作品《地球縄ひろば》の基本構想設計を始めてすぐに、古モンゴロイド人の子孫であるアメリカ先住民、ホピ、ナバホ、プエブロ族の居留地を、夏休みを利用し、子連れで旅をすることにした。先住民らが地球のドラマに敬虔に臥した、祈りある暮らしの根源は、日本人に通底すると実感した冒険旅行であった。そこで感じた、地殻変動の様相やドラスティックな地形、大気の動き、循環する宇宙、どの民族にも共通する渦巻、螺旋、終わりのない生命の再生する力、すなわち、ダイナミックな螺旋感覚ドラマを景観芸術として、空間に具現し、壮大な螺旋への誘いにしたいと構想したのだった。

そのドラマは神様のどろんこ遊びのような、地球の四十五億年の創成の歴史を物語る地球の造形。大地を走る子どもらの手は、空につきそう。ナバホ族の、空を父、大地を母、人間をその子とした、天と地の境のない空間。宇宙と大地が一体のような地層形成物語。子どもたちも大人のわたしたち白身もが、物語の登場人物になる。地球は生きている。ダイナミックに地殻変動する大地、時空を貫通し出現した地竜のような《原子惑星系DNA-911》と題する、巨大な縄彫刻を中心に、地球のドラマ《地球縄ひろば》を千里中央に完成させた。

見たこともない巨大縄が、うねり褶曲する地層造形のひろばを縫いながら、噴水池から立ち昇りそそり立つ。その大縄彫刻に、子どもたちがよじ登り、曲がりくねるスロープをかけくだり、水の流れるカスケードや滝、池、噴水で、子どもたちは嬉々と戯れる。この広場の造形壁にはアルミニューム空き缶、壊れたテレビ、ＩＣ回路板、そして、わたしの娘と息子の手形や貝殻なども化石のように埋め込んだ。広場で遊ぶ子どもたちは、そこかしこに捨てられた空き缶を、拾い集めるようになった。自ずと子どもたちの心が動いたのだ。心が踊る。心が温もる。不思議、驚き、ひとりごちる。寄り道して心が散歩したくなる。感ずるままに寝ころび、思わず走りだしたくなる。自然に身体が動いていく。身も心も自由そのもの。リサイクル、温暖化、などなど説明やうんちくを言わずとも良い。引率されて遊びに来る保育園児たちの歓声、杖をつきながらも散歩するお年寄りや車椅子の人、通勤通学の途中に立ち寄る人々の憩いの場だけでなく、ライブコンサートなどの舞台ともなり、長く市民に親しく愛された広場となり語り継がれた。

伝統手法と現代土木工法の環境芸術

パブリックアート公共事業において、構想から設計、制作施工までの一式に責任を持ってつくりあげることこそ、環境芸術家のあるべき姿と考え、一九九〇年に土木建設業建設大臣許可を取得し、株式会社インターナショナルパブリックアートを設立した。造形、土工事、噴水・照明設備工事、鉄筋工事、造園植栽工事などを束ね、いわば土建業の親方になったのだ。彫刻家で土建業資格を持つとは、と驚かれたが、彫刻制作のような、特殊な総合的土工事ができる大手や中小工務店は見あたらなかったからだ。

《地球縄ひろば》実現のために、伝統的な荒壁土工法に注目したわたしは、左官職人の村上博氏と出逢うこととなった。伝統麻縄師山川さんのように、村上さんも従来の左官手法に、わたしの考える現代彫刻手法をとりいれ、果敢に挑戦工夫し、新しい土造形工法の協同開発をしたことで、屋外公共施設に土造形が可能となった。巨大な縄も「アート大佛」の金井征之さんと麻縄造形工法を研究し、噴水システム設計の松村学さんの協力で、千里地層形成物語アートスケープ《地球縄ひろば》が三年かけて一九九一年竣工した。

整然と区画され美しく整った都市にはない、超非日常の空間が現れ、人々を歓喜させたのである。地域に愛されただけでなく、地球環境へのメッセージをこめた景観芸術の考え方と、その景観環境が展開する人々への反響に、全国から、また世界からも、訪ねる人たちがあとを絶たなかった。しかしながら残念なことに、文化育成より経済優先の行政で、事業主大阪府はターミナルエリア全体を民間に売却委譲し、《地球縄ひろば》自体も芸術の著作権があったにもかかわらず、二〇〇七年破壊されてしまった。わずか十六年間のパブリックアート作品であった。

《地球ひろば》に引きつづき、コミュニティー文化施設の広場に、わたしは一九九三年環境芸術作品《和泉のコスモス》を制作した。長さ七メートル、幅一メートルの大きな花崗岩に、長さ六メートルほどの縄の形を彫った。その彫った個所に、それと同じ形のブロンズ製の縄凹型をはめ込み、その中から水が湧く装置をつくった。そして、その花崗岩の先端あたりから、巨大なブロンズ縄がむくり盛りあがる。縄凹型の巨石から縄が隆起するという造形だ。ネガとポジという虚と実。縄の凸像と縄の凹像が大地に現出したイメージだ。

　地底で、石とともに圧縮され、化石となり隆起し、縄も再生し蘇るイメージを表現し、二元、両性、陰陽、循環、再生、相克、相生のイメージとも重なる。生きもののように躍動する縄、おおらかな性、宇宙のエネルギーの源、生命の再生する迫力とも想像できる。それこそ、螺旋構造の縄は、生命情報を伝えるＤＮＡのように、人間の精神、心、魂の情報を伝えるメディアと言えるのである。

《和泉のコスモス》 1993年
貝塚市民文化劇場（コスモシアター）前広場　撮影：海野隆

2　縄から学ぶ地球環境、社会問題

ケルトの世界、異界への旅

一九九三年も地球を東西南北に駆け回る年だった。日本に帰国時は九三年と九四年にブラジル・アメリカ・日本で開催する三人女性環境展のための作品制作にかかり、またすぐ、オランダ・ベンローでの国際展覧会やアメリカ・クリーブランド展、フランス・モベージュ展出品とサイトスペシフィック現地制作などのため、海外へ飛び立ち、まさに丸い地球をジグザクに移動する年であった。その一つである、アイルランド彫刻シンポジウム五千年祭（都市遺跡発掘記念事業）に招待されたときのサイトスペシフィック作品を紹介しよう。

アイルランドはケルト文化が濃く残っている。ケルト文化以前の巨石文明が残した、ニューグレンジ古墳巨石の渦巻模様が有名だ。わたしはわくわくして現地制作するサイト候補地選びのため、早春の三日間、初めてアイルランドを訪ねた。発掘されたばかりの五千年前の都市遺跡エリアの対岸、キルコラムヘッド半島のラックン湾を見わたす、木が生えない泥炭の草原地が候補地の一つだ。大西洋の荒波に洗われた断崖は、人を寄せつけない荒涼とした風景だった。その断崖の窪みには、無数の人骨があらわにころがっており、断崖の上には、青銅器時代の古墳も掘り返されたまま、矩形型の土の穴が放置されていた。その周りは見わたす限りただ草の原が広がり、ひとかかえほどの幅に、不揃いの石を積んだ石囲いが、まっすぐ

《エコー・オブ・ナワスケープ》　1993年　アイルランド・ノースメーヨー地方　ラックン湾

斜めに海側に向かって設えてあった。それは放牧の囲いだが、制作滞在中、一匹の羊も山羊も見かけなかった。草の原と石囲いの他には、何もなかった。緑と空と海だけ。わたしはその断崖斜面に作品を制作することに決めた。初夏になって、再びアイルランドに飛び、アシスタントとして松村学さんも同行した。初夏といえジャケットがいる。かの地特有の冷たい時雨の降る、吹きさらしの断崖で、早朝から陽が沈む夜九時ごろまで一日およそ十五時間も、野外での肉体労働が三週間つづいた。

悠久の時間に包まれた風景への鎮魂歌、アースワークを築き、《エコー・オブ・ナワスケープ》と名づけた。海と大陸とは地つづきで繋がっており、地球のしわ、褶曲隆起が繰り返しうねっている。その宇宙螺旋の動きを、ストーンサークルで表現し、生死のリズムや霊が交信往来する場をつくることにした。それはケルト人の「他界」の世界観、他界への旅を、わたしはイメージしたのだ（「ランドスケープデザイン　第二号」一九九五年、京都新聞、産経新聞にも寄稿している）。

断崖斜面に築いたストーンサークルは、現地の石を敷き詰めた直径十メートルの円形に渦巻いている。「浦島太郎」伝説とよく似たアイルランドの古伝承に表わされるケルト人の、「あの世」と「この世」は地つづきで、行き来できるという観念のように、ケルトの渦巻紋様は終わりがない。そして渦巻螺旋は本質的に動的であるので、わたしはダイナミックで立体的な渦巻通路をつくったのである。

それは、死への下降と生への上昇でもあり、再生の相反するものの合一という、渦巻の立体空間への誘いである。円中心に向かって、石張り小径を渦状に降りていくと、確実にといっていいほど目が回る。また中心から渦状小径を上がっていく体感もまた目が回る。なぜなら水平線の海が視界に入り、しかも小径も円の渦も、全て斜めになっているので地平がない。日常に経験のないバランスを取らざるをえない体感となるのである。目に入る海は無窮にうねり、螺旋運動を繰り返しているから余計だ。そして、円形石張り渦巻の外周に、土を盛りあげ縄形の土塁をつくった。その土塁に自生するシーピンクの花の草を植え、三百メートルもの長い土木的スケールの縄のうねりを形成した。土塁のつづく方へ歩を進めると、土塁の高さは、しだいに背丈を越えたり低くなったりし、連なりながら大きくねじれていく。大地の底からリズミカルにうねりだし、遥かな海を越えて、空につづきつながっていくように見える。その高低の連続する土塁の合間から、波しぶきをあげる海を、ドラスティックに見せる仕掛けなのである。訪れ歩く人の目線から、アイルランドの原風景と、木霊《こだま》する大地の縄の景をつくったのだった。

森の再生――アイルランドのアースワーク

国境もない。領海域もない。また、その蛇体のような土塁の連なりは、霊魂の世界だけでなく、遥か大西洋を超え、アメリカ大陸につづき、太平洋を越え、ひと周り巡り、地球はずっとつながって地つづきであることを示す。また、蛇が自らの尾を食べる始原の円のように、始まりも終わりもない。人はその事実を認識すれば、争えばまた自分にもおよび、きっと争いごとなどやってられないのではないだろうかと、わたしひとりで、ほくそ笑んでいるのだ。

五千年以上にわたって、森林を伐採し燃料にしてきた結果、不毛の土地となったアイルランドは、十九世紀半ばに襲った大飢饉を機に海外移住が進み、過疎化が著しく貧しかった。事実、国際彫刻シンポジウムに十二人選抜された招待作家のうち、海外作家は四名だったが、滞在宿泊施設ではシャワーの温水も充分に出ず、提供される三食の食事も、マッシュポテトとわずかなサンドイッチ程度で粗食そのもの。イタリアやフランスでのアートレジデンスプログラムの待遇に比して、相当ひもじい三週間だった。地元メーヨー地方の高校教師パディは語った。「辺境の地であるアイルランドは、ヨーロッパ諸国のリゾート観光地としてうるおうより、ゲール語を存続し、ケルトの神々が生きる自然を詩う詩人イエーツや、ケルトの超自然的な心象風景につながっていくような、現代の芸術文化を、こよなく愛する子どもたちを育てたい」。貧しくとも、心の栄養を育む地域の人々の熱いまなざしに、わたしは深く感銘を受けた。

ラックン湾断崖の《エコー・オブ・ナワスケープ》作品制作のまっ最中にもかかわらず、無理を承知でついほだされ断りきれなかった、もう一ヶ所のアースワーク造形作品。それは、ラックン湾から離れた別の地域の人々から、キララ港にある八ヘクタールものゴミ埋め立て地にも制作を依頼されたものである。そこで、広大なヘドロ地に植樹し、地域の交流の場になれる〝インターコミュニケーションパーク〟を即座に提案した。図面をかいている時間はない。石灰の粉を手に、広大な敷地を走りまわり、白いラインを描いた。前代未聞の現地瞬時、現場設計施工だ。しかも、現地にある材料を駆使しなければならない。埋め立て地に転がっていた、大きな錆びたブイを、シンボルモニュメントとして黄色に塗装し、どの角度でどのように設置するか指導し、現地に転がる岩石を配置し、地元高校生たちにも作業をしてもらうことを指示したのだった。

《NAWA Shrine—マイマイの遊離》　2015年
撮影：八木ジン
世界各地から集めた多言語の新聞紙を、絨毛の如く貼りつめた、螺旋の内空間に座す著者
ヴェネチア・コラトレルビエンナーレ　フランケッティ宮殿前庭にて

この景観芸術が地域社会の風土に溶け込み、地域の人々の心を結び、世界の人や自然とつながっていることを、伝え継がれればと願った。

近くにあったキャロウモアやグレンコラムキルの地にある、アイルランドの巨石時代の人々が残した渦巻を線刻した石の古墳や、千年にわたり渦巻紋様を描き刻んできたケルト美術を見る機会もなく、アイルランドから次はアマゾン熱帯雨林の森の問題を抱えるブラジルへと飛んだのだった。まさに国超え領海超え、地球をジグザクに移動した年である。

作品《縄の森》(96頁)は森の再生を願い、ヒノキ、ヒバなどのカンナ削り屑で縄の柱を林立させた作品である。ヴェネチアビエンナーレ並行グラストレス展出品作品《マイマイの遊離》は、世界のさまざまな言語の古新聞を材料に制作した螺旋型彫刻作品である。

日本の里山は経済林業として植林され、原生林や雑木の森を失っただけでなく、外材輸入で、山を手入れする労力もなく、植林の資源活用もされなくなってしまったので、生態系も崩れだした。アイルランドは牧歌的とも見える風景だが、産業革命でますます森林伐採され、ついには泥炭地となり、土のない、木がはえない不毛の土地となってしまった。世界では焼畑、乾燥化、森林火災、気候変動危機、生態系崩壊など、ますます砂漠化が進み、干ばつ、食料危機、海面上昇が危ぶまれる。ヴェネチアのように海面が上がり、始終、街が沈むようになる。目覚めたら昨夜まで歩いていた石畳道が、運河の水路と区別できない海面になっている。長靴で建物の壁に沿って、そろそろ歩くしかない。それをわたしは何度も経験した。このような世界の環境変化はそれこそ危機だと、わたしはそれぞれの作品で警告したのだった。生態系も乱れ、確実に地球はおかしくなってきている。地球の森がなくなるのも、世界の紛争の要因も大きいが、地球を病からなんとか救いださねばならない。

縄の神性・《縄の時空》

福井県若狭町に縄文遺跡が出土し、縄文博物館と縄文パークが建てられた。作品《縄の時空》は、その縄文パークに「縄の時」と「縄の空」の造形で、地域のシンボルとして住民参加を求めたパブリックアートである。「縄の時」は、古代よりさまざまな時代の地層から集めた、色とりどりの土を版築《はんちく》のように積み重ね、若狭町で掘りだされ放置されていた縄文杉の根っこをはめ込んで制作した。「縄の空」は、ほぼ五メートル高の巨大な樹洞の化石のように造形した。それは一万数千年前に、幹回り二十メートルほどの大樹が螺旋を描いて縄の柱となっていたと想像させるような造形なのである。そして同時に、螺旋にえぐられた空洞スペースは、スピリチュアルな交信と、天と地の交流する場をイメージした。ひとたび「縄の空」のなかに入ると、胎内回帰のような感覚と同時に、天空と対話が始まる。《縄の時空》は時間を経て大地に還っていく、中空の世界として縄の「虚」の姿を表現した作品なのだ。

大樹は宇宙の柱のシンボルであり、宇宙の中心にあってこの世界を支えているという、メソポタミア文明がもたらした伝説が源流とある。しかし縄文時代はもっと古い新石器時代と重なる。『縄文学への道』（小山修三著）に次のように紹介されている。「三内丸山縄文遺跡では、直径一メートルもある柱の根元が発見された」「（能登半島の真脇遺跡では）クリ材の丸太に彫刻を施した柱が出土している。（中略）柱の根元の部分には縄をくくりつけるための溝や穴がつくってある」「空高く、屹立する大樹には人間の心に強く訴える力

《縄の時空》　2000年　縄文ロマンパーク（福井県若狭町）
上　手前「縄の空」　奥「縄の時」　撮影：八木夕菜
中　「縄の空」内部　撮影：海野隆
下　「縄の時」　撮影：海野隆

があるらしい。（中略）ヨーロッパにも柱の祭りがひろく分布しており、夏至の日に太陽に感謝して花でかざった柱を立て、ダンスをして夜をすごす」「天にむかってのびる木は、地上に住む人間と空を結び、メッセージをカミにおくるものであった。カミが地上に降りてくる道でもある」「縄文時代の大きな柱はトーテムポールや御柱祭を彷彿とさせる」といったものである。しかし、わたしはこの見解には少し首をかしげる。

夏至祭の源流はケルトだし、メソポタミアの後、アルタイ人は大地のへそにおいて、万物にすぐれた最高の木、木柱の周りを星座が回っていると信じていた。日本の『古事記』に天の浮橋が記されている。すなわち、天と地を結ぶ柱、その柱を通じて霊が行ったり来たりする。神が降りてこられる御神木もある。このように彼らは大樹を宇宙樹と見立て、宇宙軸の観念を持っていた。しかし、メソポタミアに都市文明を築いたシュメール人や、青銅器時代のケルト人、アルタイ人の歴史は、前期中期の縄文時代より新しい。宇宙樹の観念に基づいて推測するより、縄文人はさらなる古代にさかのぼるルーツを持っていたことをふまえて、洞察するべきだとわたしは思う。

縄文人の霊威を感じる能力、そこから垂直性への希求は、螺旋回転運動、ねじれ反転、撚り綯《な》う回転を伴う次元を超えたものだったのではないだろうか。

縄文の世界、縄の霊力

ギルガメシュ神話によると、シュメール人はフンババを征伐し森を破壊した。文明が栄えた肥沃な土地も、大洪水や砂漠化で緑を失い、大樹はなくなり文明は滅びていった。それに比して旧石器時代や縄文時代の日本は、豊かな森に覆われていた。この温暖な気候に恵まれた風土で、樹木の成長は著しい。幹回り二十〜三十メートルの巨木や、樹齢何千年という巨木もたくさんあっただろう。その森のなかで、ひときわ天にまでそびえ立つ大樹に、縄文人は「太初の直感」でカミなるものを見たのではないだろうか。四千五百年前、三内丸山遺跡では栗の木幹回り三メートルの六本の巨大柱が建てられた。何トンかと思われるほどの巨木を立てる技は、地面に三メートルもの穴を掘り、盛土を営々と共同作業で築き、その盛土を利用して、縄で引きあげ、建てたであろうと想像する。とてつもない労働の協働作業だ。共同住居でもないのに、日々の狩猟採集や農作業で精一杯の暮らしではないのか。それにもかかわらず、六柱に囲まれた吹き抜け空間をつくったとは、いったい何事なのだろうかと目をみはる。その空間は、祈りの聖殿であろうか、縄文人にとって生きるために不可欠な精神的御柱だったのだろうか。食料や物資の調達よりも、縄文人が生きるためには、人間世界を超えた大いなる混沌や人間の精神性が最も大切だったのだろうか。その精神、魂の支柱のために、縄文人が何よりも優先して、団結し、力をあわせ協働作業したことが素晴らしいと感銘を受けるのである。今日の経済優先、文化行政の貧困や現代社会の分断と偏狭な精神に溜息をついてしまう。

ところで、『縄文鼎談』で作家の小松左京氏は、この途方もない巨大なものをつくって、どうするのかと述べている。なるほど常識的には、そう考えるのが素直な疑問なので、わたしは身につまされるのである。わたしは身体が小さいくせに、いつもスケールの大きな彫刻をつくり、運搬も難しい重く大きなものを、つくってどうするのかとよく言われているからだ。なぜと言われても困るが、やはり、巨大なものをつくってしまう。いやもっと大きな縄の空間が、この世界に要るのだとさえ思っているのだ。芸術の創作とはそのような合理性ではない。

同じく『縄文鼎談』で河合隼雄氏は、柱に囲まれた、吹き抜け空間の中心は「天の気」「地の精」を受ける穴、巨大なスピリットの通る、神聖な場所ではないかと述べている。

また思いおこせば、考古学者・山内清男氏の特異な研究によって、縄文人は縄を回転させ紋様を刻印したのだとつきとめられている。縄文人は、縄が宇宙と同じく螺旋回転しつづけていることを知っていたことを想いおこそう。その螺旋回転の力を土に封印することで、縄の霊力を引きだしたのだ。巨大な縄の刻印は、見えない生命エネルギーの注入なのである。また、中心が吹き抜け空間、空洞、空という間をつくることも、死者の霊を天に上げ、渦が巻き、天から超越したエネルギーが降りてくると信じたのだ。これらは縄文人の生きるに不可欠な生命の根源なのだ。生と死も宇宙全体、全てと一体になった生き方は、高度な精神を持つ叡智だと思う。

縄文の神は女性神であり、その愛の神を表出したのが縄紋であり、縄を刻印した縄文土器は、女性の手でつくられたとされている。時を経て、現代人も縄文土器に魅せられるのは、土器から流れだしてくる大きな愛のエネルギーに、抱かれ包まれるからだと思う。縄文の魂は大いなる愛に溢れていたのだ。縄文人の狩猟採集の日常の根本にあるのは、豊かな恵みをもたらす自然、森や海へのはかりしれない畏敬や祈りの愛であったのだ。自然と融和し、むやみに狩りとらず、集団と争わず、宇宙全体の調和を重んじてきた。目先の狩猟採集より、生命の根源を見すえたこの生き方こそ、一万年以上の長きにわたって平和な縄文時代がつづいた要因ではないだろうか。

哲学者・梅原猛氏は「縄の森をくぐり抜けると……」個展に一文を寄せてくださった。「縄文文化は日本の基層文化であり、森の文化である。その縄文人の魂が八木マリヨに乗り移ったのかと思うほど、霊的で不思議なエネルギーが作品にある。縄文の精神世界は、現代もなお日本人の魂や精神の深層に生き続け、日本文化の根底をなしている。この文化の理解なくして日本人の美意識、自然観を深く理解することはできない。八木は本能的な感覚でそれを身体の奥深くに吸い込んでいるように思う」。

宇宙からつながる生命エネルギーが、生命への深い愛と畏敬をもたらすことを感得していた縄文人である。現代人のわたしも、螺旋回転しつづけている宇宙全体と調和する生き方の叡智を、身体全体で学ばねばと願う。

平和な精神性の根源を求めて

『考古学千夜一夜』（佐原真著）によると、人を傷つけ殺すための道具としての武器は縄文時代には存在せず、弥生時代になると確実な武器が現れ、武器を墓に埋めた戦士の墓があり、武器崇拝があり、濠や垣根をめぐらせ、防御壁をめぐらす。世界的に見ても、一万年近く前に農業が始まり、土地争いや水争いで、また収穫した蓄えを奪われないようにと防御壁をめぐらした集落が出現する。つまり、「防御的な集落の出現で、戦争のある社会の起源をつかまえることができる」という。文明が始まる前は野蛮、未開というが、人類は誕生以来四百万年もの間、平和に戦争なしに生きてきたのであり、武器と戦争をもって殺戮を始めたのはごく最近であることを共通の認識として、「世界の考古学研究者に呼びかけて、考古学としても核兵器反対、戦争をやめようという運動を、私は、これからの仕事の一つとしたい」と述べる。佐原真氏が志なかばで亡くなられたのが惜しまれる。

三内丸山遺跡発掘で、縄文人は狩猟採集だけでなく、農業も始まって大きな集落をつくっていたということがわかった。集落の周囲に防護のための濠や、御土居壁をつくらず、まさに高度に発達した縄文文化を持っていたのだ。世界で都市文明が開くまえの日本列島において、縄文人は一万年以上ものあいだ、このような集落をつくって、戦争をしなかった。大陸から弥生人が入ってくるまで、日本列島では「戦わない」時代がつづいたのだ。その縄文人の平和な精神性の根源はなんだったのだろうか。

世界では人権問題、人種差別、ジェンダー、ノンバイナリージェンダー問題、社会的に文化的につくられてきた差別が、無くならない。日本は武家社会、封建制などから、いまだに性差別は根強い。中東にも未だにひどい差別がある。性差別だけでなくあらゆる差別意識から人間は逃れられないのだろう。

たかだか紀元前五世紀ごろから紀元にかけて始まった、世界三大宗教、キリスト教、イスラム教、仏教、その開祖であるイエス・キリスト、ムハンマド、ブッダは男性であり、経典や聖書、コーランなどは、男性のための、男性からの視点であると思う。多神教のヒンズー教でも女性は隷民であった。それぞれ宗教は、基本的に非暴力を訴えるが、紛争、戦争、集団殺戮、虐待はおさまらない。

原始宗教では、大地の守護神女神信仰などがみられる。もっと以前の自然崇拝、アニミズムなどでは、火、水、空気、土、そして、巨石や大木、植物、動物など全てを神とする。このころは、人も生きとし生けるものも、大地も海も星も、みな平等に、崇められていた。新石器時代のころから、ヨーロッパ各地や中近東に広がっていた巨石文化の社会は、母系社会で女性崇拝があったとみられている。女性崇拝は支配者というものでなく、「生命を生みだすもの」としての母なる神、地母神は、ヘビやワシ、月といった再生のシンボルを伴って表現されている。例えば、巨石に渦巻き螺旋文様が刻まれているのは、月や宇宙、自然と交信すること、おそらくシンクロナイズするためだったのであろうと思われる。母なる神の文化は、ギリシャのクレタ島で紀元前二千年がもっとも隆盛となり栄えた。

このミノア文明では、人々は男女平等の暮らしをし、女性たちは実に自由に自己表現し、自信に満ち溢れている。スポーツ競技で、男性と対等に競いあう女性の姿が、宮殿の壁画や壺などに描かれていたのだ。古代クノッソスの人々の生命は、自由におおらかに、明るく躍動していたのだと、わたしは思う。「生命を生みだすもの」への尊重は、平和な世界を生みだしていたのである。

「生命を生みだすもの」への崇敬

　農耕、牧畜が始まり、文明の夜明けとなっていく。最初の文明のエジプト文明でも、王は生き神すなわち現人神とされ、臣民を支配するが、臣民の暮らしを支え、差別はなかった。インダス文明においても人々は平等であった。女性や職人、商人、農民、神官もみな対等であった。高度な鋳造技術に裏づけされ、芸術的で、平和に発展した。インダス文明の遺跡のあちこちから、数百もの女性像が見つかり、穏やかに暮らし、平和を愛する人々は地母神崇拝をしていたようだ。

　現代人類ホモ・サピエンスが誕生し二十万年、人間優位、自然征服というような広義な差別や、人種差別、男女差別などは、たかだか、おおよそ三千年のことではないか。はるか何万年ものあいだ、人類は平等に平和的に暮らしていたのだ。小競り合いや喧嘩はあっただろうが、少なくとも、人間同士の集団的殺戮はしなかった。縄文時代の遺跡からもうかがえるのである。

　女性優位論では全くない。「生命を生みだすもの」への崇敬なのである。母なる宇宙、母なる地球、母なる大地の「母」とは、女性ではあるが、その性ではなく、無から有を生みだす、大いなる産霊《むすび》であり、「宇宙の産霊」なのである。

　パンデミックの世界の現代こそ、持続可能な地球や社会を求めて、見なおさねばならないのではないだろうか。縄にこめられた、縄文人の宇宙観、縄文人が直感してきた「縄の神性」を、ここに蘇らせる必要がある。二重螺旋遺伝子の構造と同じ螺旋構造の縄が持つ情報を、縄文人は太初の直感によって知っていたからこそ、平和な精神、愛を持っていたと考えられるのである。

古代の言霊《ことだま》を思いおこそう。「な」は幸いを呼びあつめ、「わ」は和む、平和の意。この縄の神性、縄の霊力を直感した縄文人は、土器に宇宙の螺旋エネルギー生命力を注入し、縄の持つ中空構造の役割、すなわち脊柱の中芯で、霊力の往来することや、宇宙と交信することをすでに知っていたのだ。現代人のようにインターネットも必要なく、テレパシーを飛ばし、人間同士のつながり、平和の網を広げた社会をつくっていたのである。その絆のために、巨大な洞を築き、空洞の空間は、集団にとっての精神の御柱として必須であったのだ。心柱そのものだけでなく、中空の空間、これこそ、縄は世界の人類が共通して森、大地、自然に対して抱いてきた大地母神の現れではないだろうか。

《A Cycle - Infinity》 1992年　撮影：畠山崇
ブラウングロッタ・アーツ（コネティカット州・アメリカ）

宇宙の始まり、地球の誕生、そして、最初の単細胞が誕生し、ヒトに至るまでの百三十八億年の旅をしてきたが、宇宙も地球も生命体も生まれるまでは、壮絶に過酷な環境を超えて生まれてきたことがわかる。それぞれ、宇宙も、地球も、単細胞も全てあってこそ、今のわれわれが存在する。単に自然を愛し、地球を大切に、命の大切さ、感謝をと、軽々しく語りえないほど、絶大に崇高な、悠久の時間とドラマがずしりと響く。宇宙や地球などを擬人化するわけではないが、産みの苦しみを耐え、動きつづけ、回転しつづけ、増し膨らんでいく意志を持っているようだ。今も、われわれが生きているように、刻々と、宇宙も、地球も、生きているのである。宇宙のドラマは、確かに地球に、生命体にとつながり、われわれ人類、そして、わたし自身の身体のなかや魂に受け継がれていることを感じる。

冒頭に述べたように、やはり、わたしの予想だにしなかった、あの縄の衝撃、その感覚体験は、宇宙とつながってのことだったのだろう。感覚的概念「身体のなかに縄がある、宇宙が縄である」という直感は、現代人へのメッセージだったのだ。

左《The Spiral Locomotion》 右《朽ちるとも》 1996年
日本大使館広報文化センター・ワシントン
「KOBE ROOTS toward NAWA LAND」展　撮影：著者

IV 縄の哲学——縄ロジー

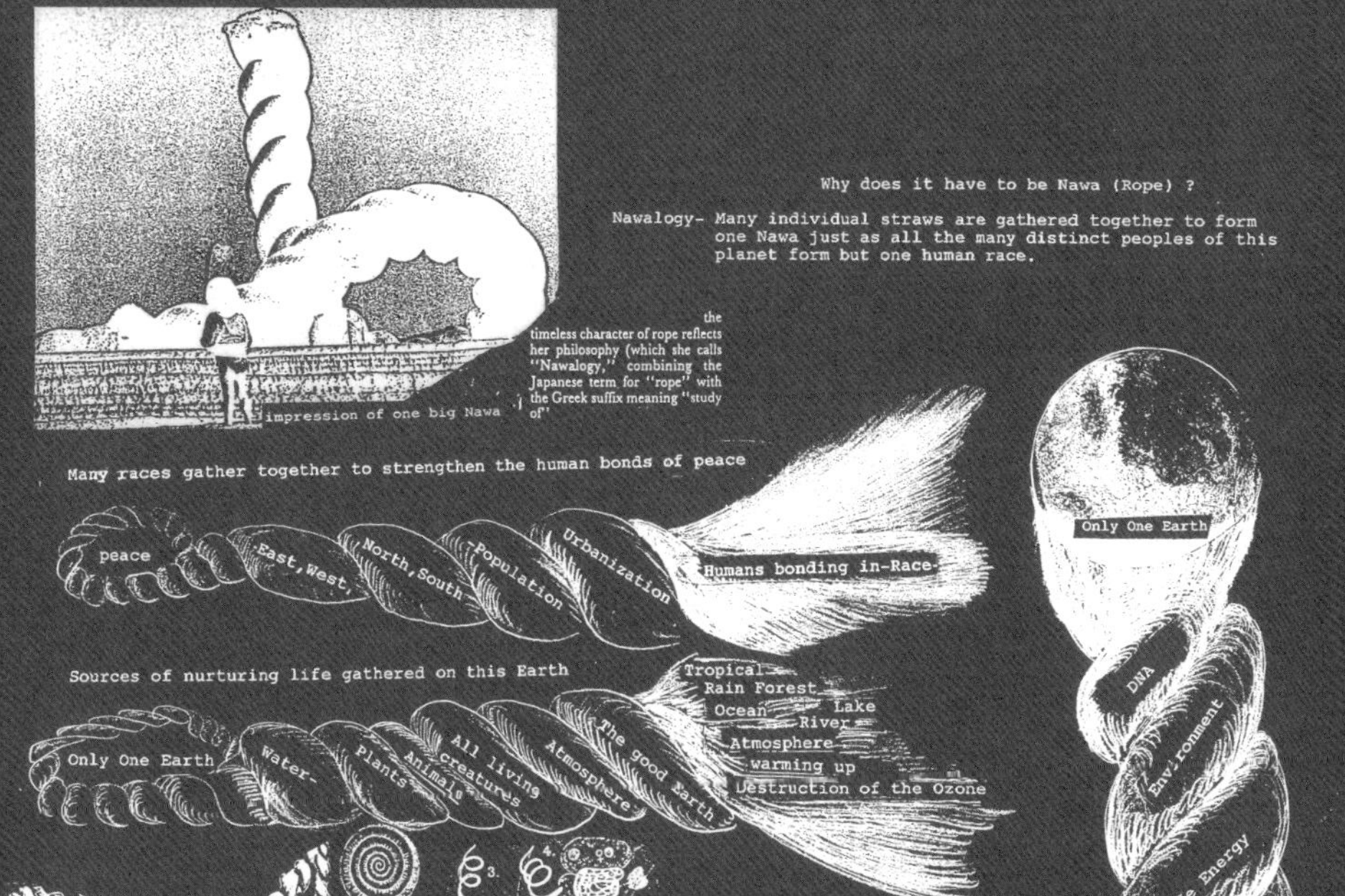
Why does it have to be Nawa (Rope) ?
Nawalogy- Many individual straws are gathered together to form one Nawa just as all the many distinct peoples of this planet form but one human race.
impression of one big Nawa
the timeless character of rope reflects her philosophy (which she calls "Nawalogy," combining the Japanese term for "rope" with the Greek suffix meaning "study of"
Many races gather together to strengthen the human bonds of peace
peace
East,West,
North,South
Population
Urbanization
Humans bonding in-Race
Only One Earth
Sources of nurturing life gathered on this Earth
Only One Earth
Water
Plants
Animals
All living creatures
Atmosphere
The good Earth
Tropical Rain Forest
Ocean
Lake
River
Atmosphere
warming up
Destruction of the Ozone
DNA
Environment
Life Energy
Life
Nawalogy diagram- impression of one big Nawa
"Polar Axis": environmental work

縄がもたらしたメッセージ

わたしはあの「縄の衝撃」からわたし自身の身体のなかにある「縄」螺旋を見つめてきた。そして、螺旋回転し続ける宇宙、生命の初源に縄があった。

I章で、生い立ちから産霊の世界を追体験し、II章で、螺旋のコスモスからどのように人類が縄を発見し、縄を発明してきたのか、これらを考察する過程で、縄の本質、縄の根源が姿を現してきた。III章では古代から両極性の矛盾、生死の円環を人類は直覚してきた。しかし現代は社会が複雑化し、地球環境も危機のなかで、人類は精神性、霊性、崇敬の心性も見失ってきたのではないか。

現代文明に生きる人類はいったい何をしているのか。

「縄の衝撃」は、ある種の天啓のようなものだったのではないかと思い至った。

「縄」のもたらした深遠なメッセージを、作品を通して伝える役割を命じられたのだと思う。この地球に人類が誕生し、人類が発明発見した「縄」こそ、人類として人類たる道筋を現代人に指し示しているのである。

縄の構造　五つのダイナミズム

宇宙の誕生、物質の誕生、生命の誕生において、全て宇宙の螺旋のリズムと一体であること、そして、人類が生命を守りつなぐしぐさから発明した縄も、螺旋のリズムと一体であること。この人類史に大いなる恩恵をもたらした。人類に「縄の文明」をもたらしてきたのである。縄とは、人間が人間たる所以を現す構造を持つ。その縄の構造には五つのダイナミズムがある。

1　縄のかたち（生命がつづくかたち、螺旋の形、二重螺旋ＤＮＡ）
2　縄のちから（撚る力と撚りがもどる力、相克、矛盾、両極、反発力）
3　縄の原理（一つであり多様であること、つながり、部分と全体）
4　縄の性質（柔軟性、可変性、自在、自立、張力、連続、永続）
5　縄のしくみ（中空構造、銀河宇宙、台風、循環、再生、エネルギー）

この五つのダイナミズムから、縄の哲学・縄ロジーをひもといてみよう。

1　縄のかたち
（生命がつづくかたち、螺旋の形、二重螺旋ＤＮＡ）

縄は生命のつづくかたち

縄のかたちは螺旋の形だ。しかも一本でなく二本による螺旋の形が、最小限の縄のかたちである。わたしはその事実から二重螺旋のＤＮＡと同じだと気がついた。

一九九五年一月初旬から神戸の六甲山麓で個展開催の期間中に、わたしは生命科学者中村桂子氏との対談を企画していた。ところが同年一月十七日の阪神淡路大震災で、海に近い埋め立てエリアの家並みはほぼ全壊し、山側と海側を分断するかのように走っていた高速道路がコンニャクのように、ぐにゃぐにゃに

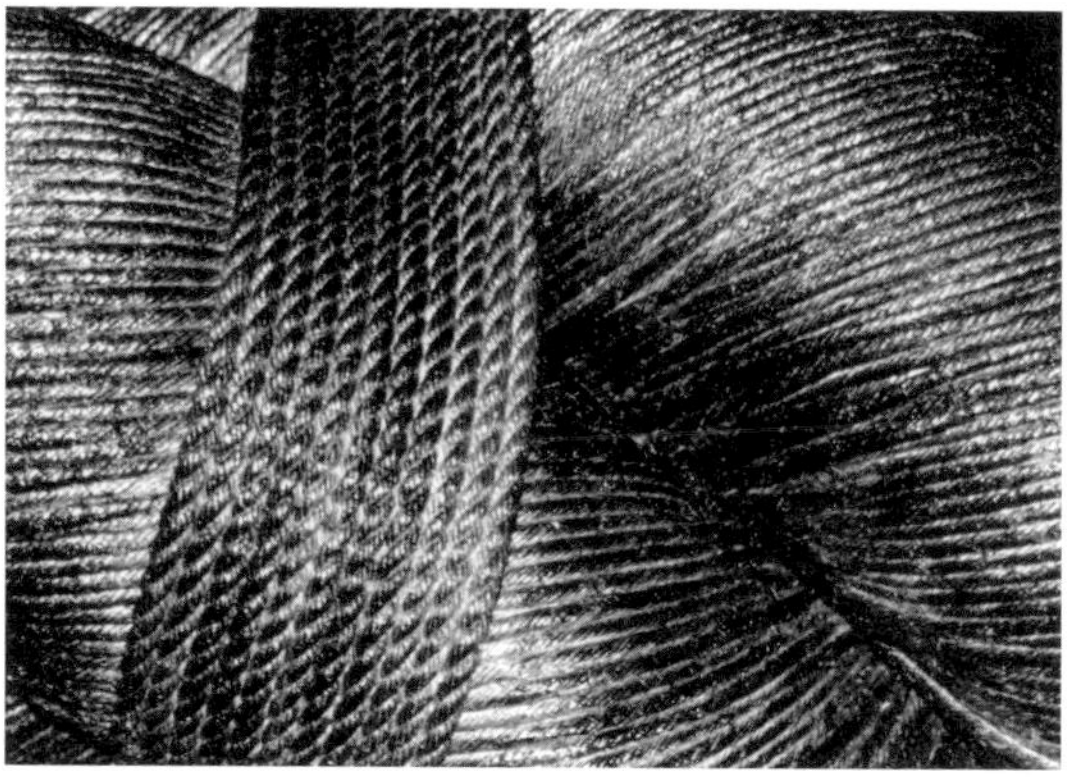

歪み倒壊した。山手側の家並みはほとんど半壊状態であったが、山手に立地していた展覧会開催の建物は無事だった。一旦中止としたが二月中旬から、あえてわたしは個展のタイトルを、生命復興を願う「ライフ・ルネッサンスの森」とし、開催することにしたのである。

また、神戸三宮駅近くの画廊で、父が八十歳で初めて油絵個展を開くことになり、一月十七日がオープン日だった。当時、わたしは京都比叡山中腹に住んでいた。震災前夜まで、父の油絵を画廊に設営する手伝いをし、翌日の個展オープニングに出席のため、三宮のホテルを予約していたのだ。ところが、父と寿司屋で夕食を終えた夜九時過ぎごろになって、突然、わたしは理由もなく、神戸に留まりたくなくなった。父のけげんな顔をよそ目に、ホテルをキャンセルし、子どもたちが待つ比叡山中腹の家まで、夜更けに帰ったのだった。その数時間後の午前五時四十六分、ドーンッと突きあげられる大きな地震が起きた。震源地の神戸から約六十キロメートルも離れた比叡山中腹でも、寝ていた身体が宙に浮き、床に叩きつけられるような、経験したことのない強烈な衝撃だった。

その三日後にようやく、京都から西宮まで鉄道が開通したので、水や食料などを詰めたリュックを背負い、父や家族、友人、画廊の安否を尋ね歩いた。道路は分断され瓦礫の山だったので、西宮から三宮まで阪急電車の線路をつたって歩いた。奇跡的に父の家も二ヶ所の画廊もビクともせず、ひび割れすらなく無事だった。しかし、神社の石灯篭や鳥居も倒れ、ビルは傾き倒れ、市街地の視界に入るもの全てから、垂直水平がなくなっていた。わたしは完全に平衡感覚を失い、まさしく立ち眩《くら》んでしまった。

宿泊する予定だった高層ホテルの建物はおもちゃ箱のごとく、道路にバッサリ倒れてしまっていた。わたしの命は救われた。不義理をすることは嫌な性格にもかかわらず、突如としての理由なきキャンセル。父の寂しそうな顔が心に残っていたが、自分でも直感の声に従ったことが不思議でならない。後年のサンフランシスコ地震、ロスアンジェルス地震が起こる直前も、まさに突拍子もない理由なきドタキャン判断と行動で、わたしの命は救われた。不意にマリヨが移動する、といえば真っ先について行くと笑う友人たちは、わたしを象かナマズだという。ノーベル賞受賞者ジャック・モノーのあまりにも有名な「大腸菌での真実は象でも真実である」という名言を思いださせた。神戸と阪神間エリアは、大地震は起きないと信じられてきた地域で、戦後、山を削り海を埋め立て、市街地を増やし都市開発が進んだ都市は、一瞬にして崩壊したのである。この震災で人間だけでなく、多くの生きものの生命が奪われたのだ。

「ライフ・ルネッサンスの森」展での企画対談では中村桂子氏に、そんな被災地の神戸まで来ていただいた。生命科学を文化としてとらえ、生きものの始まりから広がる、歴史ものがたりという生命誌を研究されていたので、無理を承知でお願いしたのだ。人間とは、生命とは何か、科学と芸術、縄と生命のダイナミズムについて話がはずんだ。

生命の起源とされる三十数億年前、地球に誕生した生きものはみんな、全て共通のＤＮＡから生じた仲間であり、ＤＮＡ自体の自己複製によって連綿とつながっている。人間も、その一生命体にすぎない。ＤＮＡの総体であるゲノムが、単に自己複製するだけでなく、細胞という場で「自己創出する生命」として、新たな個体の特性を生みだす、と独自の持論を展開された。

細胞という「場」に、ＤＮＡが存在しているひとかたまりの全体をゲノムと呼ぶ。全ての生きものはみんな、ＤＮＡという物質を持っており、みな同じ祖先から出た仲間であることを示している。細胞という「場」にあるＤＮＡは、ＤＮＡが持つ情報テキストによって、ＤＮＡ自身とＤＮＡが入っている細胞を、正確にコピーする能力を持っている。その自己創出能力を持つＤＮＡが、わたしたち生きものの身体全てのはたらきをつかさどっているのだ。

縄の二重螺旋とDNA二重螺旋の妙

DNAの構造はゲノムの縦軸に沿って、まるで、二本撚り、二子《ふたこ》の縄のように螺旋を描いている。その二重螺旋は、繰り返しつづいている。その二重螺旋のあいだに、塩基と呼ばれる分子の板がある。塩基対の配列には決まったパターンや順番はない。なぜDNAは二本の蔓状螺旋形になっているのか。それは、DNAが身体をつくるための役割として、情報テキストを持ち、遺伝物質としての役割で自己複製するから、自分をコピーするためには、二本の蔓螺旋形が必要であるという。つまり自己の身体をつくることと、遺伝するためとの二つの役割のために、DNAが二重螺旋構造となっているのである。二重螺旋構造は、DNA自体をコピーする仕組みとして必要不可欠であるのだ。すなわち、「新しく創り、新たに伝える」ために、DNAが二重螺旋構造となっているのである。

個展「生命の螺旋―大地―身体―縄」 2001年
アートフォーラム谷中（東京都）

　ジェイムス・ワトソンは、DNA構造の発見の経緯を書いた著書『二重螺旋』のなかで「生物学的に重要なものは、いつでも対になっている」とする。DNAの二本の蔓の一本一本が、それぞれ新しいDNAをつくりだすので、遺伝子情報は世代から世代へとつながり創りだされる。DNAがもし一本の蔓だけなら、身体をつくるための情報が伝えられず、親から子へと遺伝もできない。自らの生命体として絶えてしまう。生命がつづかない。一対という二重螺旋のDNAであることによって、生きとし生けるもの全て個々の特性が決定され、全て同じく、DNAの情報テキストを子孫に伝えて死ぬ。しかし、DNA自体は永遠に滅びることはない。DNAという物質は生命に対して、全て平等なのである。

仏教では「草木国土悉皆成仏」とし、生命あるものは全て平等という考えだが、キリスト教など西洋の思想では、このDNAの普遍性をどのように受け入れるのだろうか。自然と人間、生きものと人間、現代の地球環境問題を考えると、科学の世界では、この生命論をどのように展開していくのだろうか。

ともあれ、「DNA二重螺旋構造の妙」こそ、わたしにとって深く心揺さぶられる事柄なのである。なぜなら、「DNA二重螺旋構造の妙」と「縄の二重螺旋構造の妙」が一致するからだ。螺旋回転し撚りがかかった縄は、すなわち螺旋がつづくかたち。縄も一本の蔓では縄にならない。それはただの紐である。縄は二本の蔓から、初めて縄に綯《な》うことができる。縄はいつでも一対が根本であり、縄もこの二本が最小単位なのである。「新しく創り、新たに伝える」生命のつながり、わたしは縄を「なとわ／汝と我」と紐解いた。

生命のつながり　な・わ＝汝と我

ほとんど多くの生命は、オス・メス、雌雄、男女、あなたとわたし・汝我によって新たな生命が生まれる。

しかしながら、アメーバのようにメスだけで無性生殖する生物や、ミミズなどのように両性具有の生物もいる。また、若いころはオスで、成長するとメスになり子孫を残し、またその反対もある性転換型の生物もいる。雌雄や男女はともあれ、子孫を残す戦略には、二匹でなければならない鉄則があるようだ。ワトソンの言葉「生物学的に重要なものは、いつでも対になっている」が思いだされる。

生命のかたちが縄そのもの。縄は生命のかたちである。螺旋状の縄の螺旋は、前方向に突き進むかたち。すなわち縄は生きもののように、生命のつづくかたちなのである。

宇宙誕生の百三十八億年前から、そして、三十八億年前の細胞とのつながりを経て、わたしたちは今、ここに、存在している。その個体、その一つの細胞の一つにまで連綿とつづいているのである。生命のつながりを縄そのものは表現しているのだ。だから、わたしたちはその生命の縄の一部といえる。縄は初源の生命にまでつながっているイメージを、わたしたちに伝えてくれる存在なのである。その生命の歴史、生命のつながりゆくプロセスを示している存在なのである。

わたしは縄を「なとわ／汝と我」と紐解いたことによって、地球環境問題、持続可能な社会を求める「縄ロジー／ＮＡＷＡＬＯＧＹ」概念をつくり、実践として、一九九一年国連開発のプロジェクト・グローバルフォーラムで発表した。翌一九九二年、ブラジル・リオアースサミットにおいて、リオの貧民街の子どもたちとおばあちゃんたちと一緒に、《NAWA LINK》プロジェクトを展開した。リオアースサミットでは、政治、経済、科学技術などの分野だけではなく、芸術的提起として、南米の先住民神話の神、あらゆる存在の創造主であり芸術家である、オマメ神の名をとった「オマメプロジェクト」が企画された。世界から招かれた芸術家が、経済優先、アマゾンの森林破壊、温暖化問題に対して「森、空、水、あらゆる生きもの、人、音楽、舞踏、絵もつくった、オマメ神」の存在を高らかに歌いあげようと、ブラジル人アーティスト、メイ・イーストらによって呼びかけられたのだ。

のちの章「縄ロジー哲学の実践・芸術」で述べるが、リオサミット参加の後、《NAWA LINK》プロジェクトを、一九九三年にアイルランドのキララで、一九九五年に神戸で「阪神大震災一周忌・神戸のルーツ」として、さらに一九九六年にイタリアのクワラッタ、一九九七年にドイツのカッセル、一九九八年に島根湖陵町、一九九九年に鳥取米子、山形、二〇〇〇年代になってからは、京都、岡山玉野、愛媛男木島《おぎじま》・瀬戸内、ニューヨークなど、社会芸術として《汝我　縄　NAWA VITAL Link》を各地でおこなってきた。

そのような「なとわ　汝と我　つながり」をみんなでつくる芸術活動により、二〇一五年に、わたしはマルティン・ブーバーの哲学を基に設立されたユリアーデ国際人権財団に招かれた。そのときまで「対話の本質　我と汝」を提唱したドイツの哲学者マルティン・ブーバーを知らなかった。わたしの縄ロジー／NAWALOGYでは縄／NAWAを「汝と我」と解くが、ドイツの哲学者マルティン・ブーバーは「我と汝」、先に我ありきだ。対話の重要性を説く。

2 縄のちから（撚る力と撚りがもどる力、相克、矛盾、両極、反発力）

縄は「動体」の物質

クリーブランド美術館に出品した《玄央》作品の制作中に「縄のちから」を実感する事件があった。それは一九七四年、アトリエでのことだった。

直径十センチ、長さ四メートルの麻縄のストランドの縄目を一つこじあけ、直径五センチ、長さ二メートルの、槍のような形状のアルミニューム鋳物金属棒を、縄目に差し込む作業をしていた。まさに両手両足を駆使して、わたしの身体よりも大きな縄と重い金属棒と一人格闘していた。その瞬間、左手の親指まで一緒に縄目のなかに挟まれたのだ。すると縄がどんどん親指を締めつけてゆくではないか。痛い。親指が挟まったまま抜けない。まるでヘビだ。縄は生きもののようで、ドキドキして恐ろしくなった。縄は生きている。まさに有機物なのだ。それが縄の撚りの真骨頂なのである。撚る力の迫力に驚かされた事件だった。縄は撚りの方向に螺旋回転しつづけている状態と、縄自体が逆回転し撚りを戻そうとする力が、同時に、共に働きつづける状態そのものなのだ。縄とは相反する力の相克のなかで、ぎりぎりに静止しているモノなのだと実感したのである。

後年、冷静になれば単純なことで、なんと大仰なことかとも思う。ただそれは、縄目をこじ開けたので、その縄目を元にもどす撚る力が働いただけなのである。もともと、縄は撚る力と、その反対に撚りをもどす力が拮抗している状態を保っている。縄はその撚りのバランスを保とうとして、撚り、すなわち螺旋回転する力が復活したのだ。

他の物質で、相反する力が反発しあう緊張のまま、互いに、異なる方向へ動こうとする、エネルギーを孕んだモノの存在はあるだろうか。その驚異に、わたしを目覚めさせたのが《玄央》という作品だった。対立の動的な統合をダイナミックに表現する作品として、太古に発明された縄と、たかだか二百年前に発明されたアルミニューム金属とを対比させることによって、対立から生まれる火花のような、ダイナミズムを表現しようとしたのである。ところが制作中に、さらに縄自体の本質的な「縄のちから」が噴出したのだ。単に、植物の触感や匂いのある有機的物質と、鏡のように光る無機的物質という物質の対

《玄央》 1974年 アルミニウムキャスト、野州麻縄
個展 ハドラーギャラリーズ（アメリカ・ニューヨーク）

立や、対峙の緊張だけではない。これこそ、縄とはまさに動的平衡の物質であることを、わたしに体得させ知らしめたのである。ダイナミックに対立と統合を均衡させている縄の、秘められたパワーの深さへ、わたしを導いた思い出の作品となった。

縄とは螺旋回転させたものを、さらに逆回転させて静止させている。撚る力と、撚りが戻ろうとする力の相反する力が、平衡を保っている状態なのだ。石や金属などの物質の間に指が挟まっても、単に挟まれたままだが、縄は反発力で、さらに締めつけていくのである。すなわち、他の物質とは異なり、縄は「動体」の物質で、螺旋回転エネルギーを保持したまま、平衡の状態になっている、まさに動的平衡なのである。先に述べた量子論や東洋思想とも通じていくのだ。

撚る技と、綯う技

綯《な》う技こそが縄の誕生。撚りをかける発見から綯う技の発明へ。

撚りをかけるとは、ねじり回転させ、あわせるということ。では、なぜ撚りをかけるのか。繊維が細いもの、例えば、蚕の繭《まゆ》からほぐした繊維は短く細いので、そのままでは使えない。何本集めてもバラバラでどうにもならない。束にして撚りをかけるとつながり、まとまる。また、和紙はそのままだと、ひらひら破けやすいが、こよりのように和紙を撚ると、引っ張りに強くなる。その状態のことを片撚りという。撚りというねじりの螺旋回転によって、一つにまとまるのである。撚りという螺旋回転がみそなのだ。

まずは人類の発見した最初の段階が、この撚りの技だと考えている。糸として片撚り糸もあるが、片撚りのままだと少しずつ時間とともに撚りがもどってしまう。強い糸にはならない。撚りがもどると再びバラバラになる。その次の段階の発見が、逆方向に螺旋回転させ、すなわち真逆、反対の撚りをかけるという技だ。これを綯《な》うと呼ぶ。綯《な》う技こそが縄の誕生となった。すなわち片撚りのままだと弱いが、縄になると一段と強い力を発揮する。一気に用途が広がるのだ。和紙の細い縄すなわち糸も、綿糸、絹糸などと変わらぬ強さで、和紙糸で織物、布がつくられる。

麻縄つくりの項で前述したが、一度撚りをかけた糸（ヤーンあるいはストランドともいう）を二本そろえて、逆方向に回転撚りをかけると、一本の二本撚り縄ができる。ヤーンを三本そろえて逆方向に回転撚りをかけると、三本撚り縄ができる。ヤーン四本で四本撚り縄、五本で五本撚り縄。さまざまな異質なモノがあわさり、逆方向に螺旋回転させ、撚りをかけるという技こそ素晴らしい「力」を生むのである、各々みんなが同じ方向に回転しては、いつまでたっても偏《かたよ》り、片撚りとなる。片撚りの状態のままだと、いつか時間とともに、ゆるみほどけバラバラになる。これでは元も子もない。右向け右とみんな同じ方向を見、平等の名の下、みんな一緒に、「ひとつになる」というような同化では、真の縄はできないのである。繰り返すが、真に「ひとつになる」ということは、多様な異種をつなぎあわせ、正反対の思考や異なる好みを一対にすることであり、その叡智の結晶が、縄なのである。

相克する縄、相反の調和の縄

中村桂子氏との対談で、ＤＮＡはなぜ二重螺旋なのかというわたしの問いに対して、「どんな生物も同じ二重螺旋構造のＤＮＡを持ち、生きものの基本的性質は矛盾や対立のあるダイナミズムなのです」「二本の螺旋が相互に補い、ＤＮＡは変化と保守の性質を持っています」と興味ぶかい話をされた記憶がある。

ＤＮＡと縄は相関関係ではないか。縄というのは撚る力と撚りをもどす力の二つが、互いにちょうどバランスをとっている状態なので、相克しつつ矛盾があるも、両極ともに反発しつつ均衡を保っている。こ

《地球文化のDNA》 1992年 ブラジル・アースサミット
オマメ・プロジェクト 環境アート展
ブラジリア美術館所蔵 撮影：畠山崇

れらの「縄のちから」という基本的性質があるからである。

縄を綯うこととは、撚る力と撚りをもどす力が同時に内包され、その矛盾する力が、互いに拮抗しあっている状態なのである。縄の構造として、両極の対立、両極の相克、両極の反発力によって成り立っているのである。両極が反発するとは、なんと生き生きとエネルギーをはらんでいることか。まさに生命根源のダイナミズムを縄は持っているのだ。縄も変化と保守の性質がある。自由に曲がり、結ばれ、変化し、引っ張り強く剛となり、命綱のように守り、持続し保守となる。それも縄のちからである。両極に対立しつつ、相互作用しつつ、平衡することで縄が成立している。これが縄の真のちからである。

『DNAとの対話』(ロバート・ポラック著、中村桂子・中村友子共訳)で、以下のことが記されている。――DNAの二本の蔓は、どちらもそれぞれ決まった向きを持っており、しかも必ず、二本は互いに反対向きになっている。二本の蔓は向きが互いに逆になっており、つまり、反対方向に向かっているので、ぐるりと半回転しても見かけは全く同じという点対称の構造になっている――この事実も面白い。縄の螺旋構造も同じことになっているのである。

西田幾多郎の『論理と生命』で、「生命は絶対に相反するものの自己同一として成立するものでなければならない」とある。ヘラクレイトスのいう如く、相反するものから、最も美しき調和が生まれるのである。相反するものの同一、矛盾するものの統一。これは、縄そのものなのである。この相反する動き、矛盾する動きによって、調和し、平衡し、美しく強い縄となるのである。縄は、DNAの構造と同じであり、生命の本質と同じなのである。また推測だが、銀河の中心部のブラックホールから発せられた二重螺旋をなぞるジェットの磁場の構造と同じなのかも知れない。

3 縄の原理（一つであり多様であること、つながり、部分と全体）

縄はエンドレスなつながり

わたしは一九七七年に《The One 1+1=1》と題する作品を制作した。一本の縄そのものは縄の原理によってできている。一本の縄をつくり、さらに別のもう一本の縄をつくる。その二本の縄をスプライシング（つなぐ）し、あわせたら、なんと新たな一本の縄になった。数学では1＋1＝2ではあるが、1＋1＝1となったのだ。そして1＋1＝1であり無限大といっても良い。なぜなら、無限に繰り返し足していっても限りなく一本、ひとつになるのである。作品はスプライシング技法だが、切れ端縄をつぎ、綯《な》いあわせて、なめらかな一本の縄にもできるのだ。

都会生まれのわたしは知らなかったが、昔から農家の人は、短く切れてしまった縄でも、絶対に捨てることはなく、切れ端を貯めておいたらしい。自然界で長いものを得ることは簡単ではないからだ。長いものがあれば必ず役に立つ。つなぎ目を撚りかけなおし綯い足すと、また長い縄が再生できる。縄はどんなに擂り切れ短くなっても、つなぎあわせて綯うと、長い縄にすることができるのだ。撚りをかけるという技のおかげで、人の暮らしを豊かにしてきたのである。一本の縄があれば事足りる。一本の縄は地球を一周するほど長くもできる。暮らしのつながり、いのちのつながりは無限につづく。一本の縄は永遠につづ

《The One 1+1=1》 1977年　クリーブランド美術館（アメリカ・オハイオ州）　国際ファーバーワークス展
ロングハウスリザーブ庭園美術館所蔵　撮影：著者

く力を秘めているのである。縄はエンドレスなつながりを表しているのだ。

森と縄は多様であり、ひとつ

森の形成は縄の原理に通じている。

常緑広葉樹や落葉広葉樹の原生林の森には、それぞれ多様な樹種があるのに、一本一本に境や区別がないかのように、枝が絡み、根が絡んでいる。樹種が異なるのに、たまたま隣に生えた樹木と、いつの間にか幹があわさり、まるで一本の大木になっている樹木まである。森には、長い蔓植物が周りの樹木に巻きつき、成長していく。頼っていた樹木の幹が太く大きくなるにつれ、螺旋を描いて巻きついた蔓が、まるで幹をねじるがごとく、締めつけ枯らすこともある。蔓が陽光を求めて螺旋回転しながら、成長上昇するとき、絡んだ樹木の枝を引っ張りあげ、共に陽光にあたることもあろう。その樹木が枯れてしまうと、頼れなくなって、蔓は惑いながら他の樹木に絡むか、でなければ、蔓も自重を保てず落下、そして自身も枯れてしまうこともある。長く伸びる蔓植物も、ほどほどに樹木との共生を図っているのだ。

シダや苔、着生植物、寄生植物などは、霧の深い森の地面、岩、木株、樹木の根や幹を覆う。なかでも、北八ヶ岳の原生林、白駒の池の周辺には、苔の森が一面に広がっている。四百八十五種類もの苔が、生息している世界は神秘の園そのもの。見える世界、見えない世界、聞こえる音、聞こえない音。人間の視覚、聴覚、嗅覚など五感能力をはるかにはみだした、豊かな世界がある。

　白神山地の森などのブナ林には宿り木がついている。落葉した枝に付いた薄緑のまん丸いボールは、くす玉のようでなんとも愛らしい。箱根のポーラ美術館のヒメシャラの森でも、うすグレーがかったモスグリーンの宿り木は、妖精たちの棲み家のように見える。わたしがニューヨークで体調を崩したとき、あるアメリカ人医師に、月夜の宿り木に祈りなさいと言われたことがある。古代ケルト人は森のなかの宿り木に対して、神聖なものとした信仰を持っていた。ケルト文化が色濃く残る、キリスト教世界のヨーロッパでは、宿り木信仰から、クリスマスの飾りリースとして受け継がれている。日本の正月飾りとして、玄関口に飾る門松や注連縄も、聖なる森と生命を育む森と関連がありそうだ。

　原生林の森に入ると、多種多様な植物が実に多くあるにもかかわらず、ひとつの巨大な植物が、森を形成しているかのように見える。それぞれ異なる生きもの自身が、他の生きものの生きる環境になり、影響しあい、つながりあっている。生かすか殺すか二者択一ではない。一方的ではない。善悪でもない。環境を受け入れ、いのちのかぎり生きぬく。いのちあるものは全て、いのちといのちがつながりあっているのだ。地球上の生命は何らかの形でつながりあい、ひとつの有機体としてつながっている。人の身体も、細胞の共同体によって成り立っている。惑星全体、銀河宇宙との一体性もある。全てつながっているのだ。麻、ワラ、樹皮、繭、毛髪、どんな素材同士でも、どんな色同士でも、一本の縄にすることができる。

　一つ一つ多様であり、ひとつである。これが縄というもの。生きものの世界は縄の原理に通じている。

一即多、多即一

西田幾多郎は『論理と生命』で、生命あるものは部分と全体を分けるのでなく、直感的に全体を捉える。部分が全体を含み、また全体によって部分が成立する。同時に部分が全体を否定するということも含まれていなければならない。これが生命の本質であるという。弁証法の祖といわれるヘラクレイトスが見いだした真理は、一即多、多即一であるという。華厳経では、一切即一、一即一切。すなわち、わたしの周りの全体がわたしであり、宇宙全体の一つの現れがわたしである。まさに縄は多くのものが集まり一本の縄となる。一本の縄は多くの部分で成り立っている。縄とは永遠に、部分と全体が統一的につながっていくものである。このことからも縄は生命の本質を持っていることがわかるのである。

　生物を物質のレベルからだけで考えると、ミクロなパーツからなるプラモデルに見えてしまう。しかし、驚くほど数多くのパーツとパーツの相互作用によってタイミング良く、エネルギーと情報がやりとりされ、生命現象という効果が生みだされる。近代の生命学が陥ってしまった罠は、一つの部品に一つの機能があるという幻想だった。部品は多数がタイミング良く集まって初めて、ひとつの機能を発揮するので、タイミングという時間の重要性を見失ってはならない。生命とは機械ではない。機械とは違うダイナミズムがある。生命の持つ柔らかさ、可変性、全体としてのバランスを保つ機能――それを「動的平衡」と呼ぶと分子生物学者の福岡伸一氏はいう。

　一九七四年に体験した「縄のちから」を実感する作品《玄央》（158頁）制作中の事件から学んだように、縄の持つ、相反する力のダイナミックな均衡性から、縄も生命のように柔らかで、柔軟性、可変性があり、多数のパーツが集まって螺旋回転の運動によってひとつのダイナミックな集合体となる。円運動とは異なる螺旋回転には時間軸がある。「時間」を見逃してはならないということにつながると考えさせられる。

4　縄の性質（柔軟性、可変性、自在、自立、張力、連続、永続）

手仕事の技から世界一の技術へ

八十歳を超える、張り糸撚りの伝統工芸士、廣川昌良さんは日本で最後の職人となってしまった。西陣織の糸、数珠の糸、祇園祭の段通の糸などに使われてきた。繭の風合いの絹単糸を何本も、三十三メートルも長く、空中に張って手作業で撚りをかけることで、丸みある、むっくらとした撚りができる。昔ながらの竹などを使った機での、長年の勘による手加減の作業なのである。もう手加減の味は絶え、「むっくら」「むっくり」「ほっこり」とした京ことばも、使われなくなっていくのだろうか。

近年では、縄はワラや草、麻など自然素材だけでつくられているのではない。細い線、例えば針金のような金属の線を束にし、撚りをかけ、そのヤーンを二本、三本、六本、八本と撚りあわせ縄に仕立てる。ワイヤーロープと呼ばれる。クレーンやエレベーター、架橋の吊り橋、建築構造用、機械用、船舶、飛行機用など多くの鋼鉄製の縄に応用されている。金属、鋼鉄は硬い。まさに硬直なものである。しかし、細い金属線を多く撚りあわせたワイヤーロープにすれば、それと同じ太さの金属棒一本より、はるかに強度が増す。一本の線では弱くとも、多くの束をさらに多く撚りをかけた縄状にすることにより、明石海峡大橋のような世界一の吊り橋までつくれる。想像してみてほしい。金属棒では何百メートルもの長さにつくるのも、運ぶのも限度がある。山の森から大きな長い木材を、切りだし運ぶ様子も想像してみてほしい。

どんなに長いトレーラーでも運搬はとても大変で、まっすぐの剛直なままではどうにもならない。

地球一周、自由自在

それでは、長いものを小さくまとめるにはどうするか。たとえば、蛇は長いがとぐろを巻くと小さくまとまる。長いものを螺旋の渦巻き状に巻けば良いのだ。金属棒を、柔らかくなめした金属線のワイヤーロープにすれば、渦巻きでも輪でも巻きとりができ、何千、何万キロメートルでも可能になる。地球一周ぐるりと回すぐらいもできる。まさにワイヤーロープという縄は、金属であっても可変、柔軟、自由自在なのだ。そして一本の金属棒よりも、撚りのかかった縄はその張力の強度が増す。多く集まれば強くなるという原理だ。また用途にあわせて、多様な太さの線の束ね方や、撚りの強さの加減もできる。引っ張りの強さで、吊りの力、自重に耐える力も調整できる。用途に応じて、一本のストランドに何本の線を撚りあわせるか、また、そのストランドを何本一緒に綯《な》うかを研究し、実に多くの縄の構造が考えられつくられている。ワイヤーロープの断面はまるで氷の結晶のようにみごとに美しい。それは、さまざまな太さの組みあわせや、撚りあわせのパターンなどによって、一本の縄をつくっているからだ。多様なものがひとつになっている姿、それが美しい。それが縄の本質なのである。

宇宙エレベーター

エレベーターに乗って宇宙へ行く。宇宙エレベーターも縄の技術あってこそ可能となる。鋼鉄のロープケーブルでは十万キロの距離はあまりにも長いため、自重に耐えきれず途中で切れてしまう。しかし鋼鉄の四百倍の強度に耐えるカーボンナノチューブが出現し、ナノチューブを糸巻きに巻きつけ、次々に縄に綯《な》っていくことで、いくらでも長いケーブルがつくれるようになったと発表された。まさに太古に人類が発明した縄、撚りという螺旋回転と、その逆方向螺旋回転の力をあわせて「綯う」技術によって、未来への技術開発にまで応用されていく。また、昔をふり返ると、ワイヤーロープを使うクレーンもない時代に、古代遺跡のストーンヘンジ、ピラミッド、イースター島のモアイ石像などのような巨大な建造物は、どのようにしてつくられたのか。縄なくして考えられないのである。ピラミッド建設において、人々が縄で巨石を引く様子のレリーフが残っている。縄は巨大な力となるのである。ドルメンやピラミッドなどの巨石を引き、立ち上がらせた主役の縄には、ほとんどだれも注目しない。気づかれない忘れ去られた存在なのである。

古代から現代まで人々の暮らしを見わたすと、それぞれに縄の性質が応用され、暮らしと深くかかわってきていることがわかる。——衣服を着る／食物を蓄える／住居をつくる／集落をつくる／森で暮らす／川、湖、海で暮らす／平原で暮らす／山で暮らす／動物と暮らす／植物と暮らす／精霊と暮らす／祭り　——このように、縄は人の暮らしを豊かに支えてきたのである。

縄は融通無碍。縄の柔軟性、可変性、自在、自立、張力、連続、永続性という性質が、ここに際立つ。わたしも多くの作品でこの縄の性質を表現してきた。

《地球縄ひろば》　1991年　撮影：畠山崇

5　縄のしくみ（中空構造、銀河宇宙、台風、循環、再生、エネルギー）

縄の自立　真の底力

三つ輪の間には必ず空間がある。三つの円をそれぞれ接するように描いた図形で確認すればすぐわかる。四つ輪、五つ輪ならさらに空間がはっきりある。三本撚り縄も、肉眼ではしっかり確認できないが、その縄の断面の中芯には中空があり、空間ができているはずである。縄の中芯の空洞は螺旋回転せず不動、静止、台風の目のような空間であることに気づいたのだった。これに閃いたわたしは、縄が剛直にも、縄自体が直立するという証明に挑戦した。すなわち、縄の中芯が中空構造になっていることに着眼したのだ。縄そのものは自ら直立、自立できない。その縄自体が自力で「縄の存在」を知らしめ、自立することができた。縄の中芯に鋼材パイプを用いて、縄を綯《な》うことを考案したわけだ。世界で初めて、垂直に自立する縄の作品《The Root》（32頁）を発表した。その作品は、鏡面ステンレス曲面体の造形台座から、その一本の麻縄がすっくと自立し、鏡面にその姿が映しだされる。まるでそれは水面に映え、水底から天空へそびえるよう。見る角度によっては一本の縄が、地を這う多くの根のようにも、また、ひとつの巨大な根のようにも映る。虚と実が渾然一体となる。カオスの地の底と天空のコスモスまで貫いた縄となった。まさに世界の古層文化の根、原初的垂直性を現したモニュメンタルな作品となった。この有機物である縄のシンボリックな垂直性表現に、人類最古の心象深層にある、宇宙と大地をつなぐ媒介、霊の依代、生命根源への畏敬、性的シンボル、陰陽和合、宇宙の循環、宇宙の産霊《むすび》につながるイメージを、現代の世界の人々は感じたようだ。

《The Root》はスイスローザンヌビエンナーレに初入選し、ローザンヌ州立美術館・トムズポーリ財団コレクションとして所蔵された。わたしにとってのこの記念碑的作品は、〝二十世紀のアーティスト五人展〟においても、ヨーロッパ各地の美術館で巡回展示された。それは二十一世紀に企画された展覧会なので、現存作家はわたしを含め二人だけだった。

石や金属と異なり、縄は柔らかく弱い、傷みやすく、もろく朽ち果てるものと見なされる。しなり、脆く儚《はかな》い、自立できない縄が、それ自身で自立する事実によって、縄の本質、縄のしなやかな強さ、真の縄の底力を、この作品を通して、世界の人々に知ってもらいたかった。弱き縄は真の強きモノ。

縄の中空構造

縄の中芯をのぞいてみたい。縄の中空構造をしかとこの目で、実際に見たい。

一九九四年ごろ、カッセル大学の学生、アレキサンダー・ズストがドイツから、わたしのアトリエにインターンとしてやって来た。彼と一緒に数学ソフトで縄を解析し、さまざまな図形処理をした。そのＣＧ画像での形相を見て、無限といっても良いほど、ユニークな造形が現れることに魅了された。その画像をシルクプリントで染め、透けるオーガンジーの布でケースメントスクリーンをつくった。しかし、なんといってもバーチャルな上、平面、二次元なので満足できなかった。そこで、わたしは縄を石粉で固め、まるで栗羊羹を切るように、切断した作品をつくったところ、切断の方向で、縄断面に思いもかけない、面白い形が現れた。実に美しい「撚り」の変容の形、つまり多くの螺旋の集合体であり、螺旋という三次元の変化の姿が現れたのだ。わたしはその縄の中身、内部の構造に夢中になって、いくつかの作品を制作した。が、まだはっきりと中芯が中空であることを、目で確認できなかった。

《Missing Cube》 1992年
ポリエステル、グラスファイバー、石英石粉　100×100×(100–300) cm　撮影：海野隆

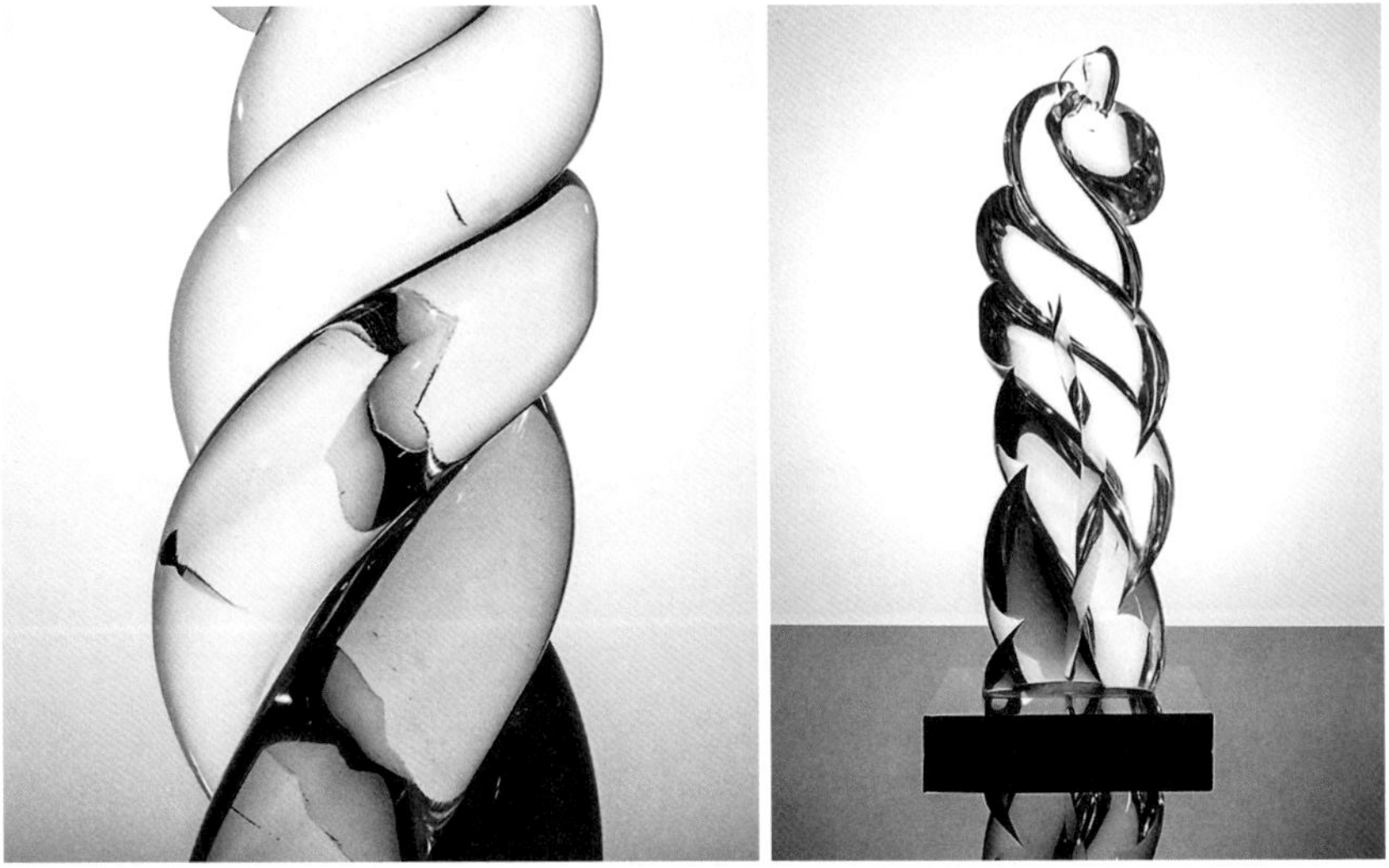

《The Inner NAWA》　2014年　クリスタルガラス　20×8×47cm　ベレンゴスタジオ（イタリア）で制作　個人所蔵
撮影：八木ジン

二〇一四年、ヴェネチア・ムラノ島にある、世界的なジャウメ・プレンサ、アーウィン・ワーム（エルヴィン・ヴルム）など現代美術・彫刻家の作品などを制作するベレンゴスタジオで、現代美術コレクターでもある鈴木郷史氏のコミッションとして、ガラス作品を制作するチャンスに恵まれた。ついに中空構造を確認する挑戦をすることができたのだ。それは困難な技術ではあった。エルミタージュ美術館でも、吹きガラス技を教える世界的なムラノ島のベテラン・マエストロでさえ、無理だと言った。しかし、わたしは撚りの回転を伝授し、わたしたちは試行錯誤をつづけて、太いガラス棒状のもので縄を綯《な》うことに成功したのだ。太くて長く重い溶けたガラスを、柔らかいうちに、わたしが撚りをかけてねじり、五人の職人が力をあわせ、ついに三本縄のガラス作品が完成した。数日かけてゆっくり冷まして完成する。その完成したガラス縄作品を、竹を割るが如くに切断した。せっかく苦労して出来あがった作品をまっ二つにするとは、マエストロは茶目っ気ギョロ目を、さらに大きく丸くして驚いた。ねじれ曲面体に下した一刀の切断面に、ついに、中空の空間を発見したのだ。わたしは念願だった中空を目視できた喜びで小躍りした。マエストロも、やっと理解し、曲面に対してシャープな断面が呼応し、表面裏面、内面外面が一体となった作品に唸ってウインクした。このガラス作品で縄の中空構造が、はっきり物理的に証明されたのだ。

空の思想

真空には、かぎりない数の粒子が存在し、陽子、反陽子、中間子の三つは、絶え間なく生まれたり消えたりしている。真空とはダイナミックな生成と消滅、無から生まれ無になる。真空のダイナミズムは現代物理学の重要な発見の一つであるといわれている。

縄の中芯こそ、真空のダイナミズムを表現しているではないか。中空構造の深淵な意味が内包されている。縄の中芯が中空であるということ自体が縄の真骨頂であるのだ。

ＤＮＡも二つの螺旋が向きあって、空・空間をつくっている。まさにＤＮＡにも中空構造がある。情報を伝え、新たに創り生みだす働きは、この中空構造が鍵なのではないだろうかとわたしは考える。

中空構造、空なるスペース。空っぽ、空、無、虚、この「間」こそ、初源を創出する。中空、何もないが充満しているという無の空間。中空構造が無限のエネルギーを生む。中空こそ無限の創造の力を生む。宇宙の始まりに迫る。空こそ全ての生命の源である。空っぽこそ根源なのである。空こそダイナミックに「かたち」を生みだす。ガラス作品によって、縄の中空構造を証明できたことで、空の思想、禅、タオ、など東洋思想や現代物理学の理論が、わたしには実態となりつつあった。

ものの中心、ものごとの中心、芯があるという表現には、何か硬くしっかりした、鉱物のようにガチッと強く堅牢なものというイメージが一般的である。石のように固ければ不安なく安心という通念がある。大黒柱のように家の芯が硬くしっかりしていれば頼りになる。

芯のある人と表現するときも強い意志、信念のある人を意味する。しかし、昔と違って現代の情報過多社会において、情報が一方的に詰まり、ガチッと石頭のように、保守の塊となった芯はどうだろうか。詰め込み教育、エリート社会、結果だけを認める社会、これしかない絶対性、信念の塊、他宗教はいっさい認めない、偏った強い信仰、自己中心、排他、差別、我こそ世界の中心、人間こそ地球の中心、違いを認めないこの頑なさ。このように最初から詰まっていたら何も入ってこないし、受け入れることも困難であるのは自明だ。しっかりきっちり詰まりきった「石頭のよう」と言わず、詰まっていない、柔らかく、しなやかな「縄頭のよう」という表現はどうだろう。

正邪の螺旋回転・心柱

縄の芯は空っぽだから、多様な情報も考えも受け入れられ、柔軟で、自在。多様多層が中空を行き来し、消えたり現れたり、ふらふら揺らぐ。この中空構造がどれだけ豊かさを生むかは、はかりしれないのである。しかし、一般に不安をもたらす空白、空洞化という、中心に穴が空いている空洞ということは、もしかすると不要なもの、邪《よこしま》なものが入ってくることも許すだろう。ところが、縄の構造では、相反する、対立するもの、正邪の要素がそれぞれ逆向きに螺旋回転するので、おさえる力、ふえる力が綱引きのように働き、ダイナミックなバランスが働くのである。このダイナミズムこそ、縄の特性なので、そこで縄のようにしなやかに強い人という表現が生まれてほしいのだ。中芯、中心軸というものは揺らぐ「間」、空の存在なくして、ありえないのである。

日本の木造高層建築である法隆寺五重塔など塔の中央、中心の空間の心柱は宙に浮いている。礎石にのっているだけや、また、宙ぶらりんの心柱の構造もある。心柱がどこにも固定されていない。心柱の周りに空間があり、自在に、くねくねダンスするように揺れることができる。大地震でも躱《かわ》すことができるのだ。五重塔内部の中空空間にある心柱は、五層の屋根最頂部を突きあげて、最頂部のまんなかだけで接している。三十メートルにも及ぶ心柱の下は、宙ぶらりん。まさに柔構造の中心にある振り子のような真柱で、心柱と呼ばれているゆえんだ。その構造の妙は先人の知恵であり、日本の巧みの素晴らしさである。

どんな危機や災難にもしなやかに対応している姿。芯が空であることは真なりである。人と人の間、ディスタンスといわれるが、そもそも人間とは人と人の間に、コミュニケーション、ふれあい、つながりなくしてない。そのつながりとは、「中空」「間」ありきなのだ。

このことがらは、社会芸術として、《汝我　縄　NAWA VITAL Link から NAWA AXIS for Peace》のアートプロジェクトでも触れることにしよう。

自由往来する「気」

ユング研究で知られる臨床心理学者の河合隼雄氏とNHK古寺巡礼の旅番組で、苔寺・西芳寺を訪ねた。ダジャレ上手で「はあちゃん」の愛称で呼ばれた河合隼雄氏は、ロケの撮影直前まで、わたしを大笑いさせておられた。「明恵《あきえ》ちゃんの本を書いてなあ」と『明恵《みょうえ》　夢を生きる』の著書について延々と面白おかしく話され、西芳寺上段の庭、夢窓国師の禅庭のカットを撮影する直前も、わたしは爆笑していた。

ところが、カメラスタートされるや、わたしは急に胸いっぱいになり、涙が溢れだした。大笑いから大粒の涙への変換、一体どうしたことか。禅庭の奥にある松尾の山あいから、慈悲溢れる何かが、禅庭に点在する石の合間を縫って砂州に流れ込み、一気にわたしを包み込んだ気がしたのだ。突然のわたしの変化に驚かれた河合隼雄氏は、目に見えない「気」の存在、「気の流れ」について話しだされた。余談だが番組視聴者は枯山水の禅庭を見て涙を流すとは、それほど感動する庭があるのかと、来訪者が増えたと聞く。わたしは確かに気配というその「気」を感じたのである。

わたしは身体の中心軸に空っぽな空間を持ち、いつもクリーンにしていることが大切だと考えている。頭のてっぺんのつむじから、背骨の中央の中空を通って外へぬける空洞。その中空は天と地につながる大事なパイプ、管だ。樹木の導管のように上下に栄養が往来する。わたしが日ごろからおこなう自己流の呼吸法であるが、天から吸い地の底まで吐ききる。天の底から地の底まで貫く導管をイメージする。それこそ「気」が自由往来する。身体構造も中空なので、いつも中空の空間は中空にしておかねばならないと思っているのである。「身体は天と地の導管。大きな循環のなかに在る」。

身体構造も中空

分子生物学者の福岡伸一氏によれば、「人間は考える管」であり、「私たちの遠い祖先は、現在のミミズやナメクジのような存在だった。彼らの姿こそが、私たちの原形なのである。彼らはまさに一本の管。口と肛門があり、そのあいだを中空のチューブが貫いている」「私たちは、たとえ進化の歴史が何億年経過しようとも、中空の管でしかない」といい、人間の消化管は「チクワの穴のようなもの」だという（『動的平衡』）。さらに解剖学者の三木成夫氏は、分厚い樹皮に螺旋の条溝《じょうこう》を荒々しく刻みつけ天空にそびえ立つ樹木と、巨大なとぐろを巻く恐竜の糞化石を示し、「いのちの根源の波」をここに見るという。どちらもその姿は螺旋渦巻

ベレンゴスタジオにてガラス制作中の著者　2014年

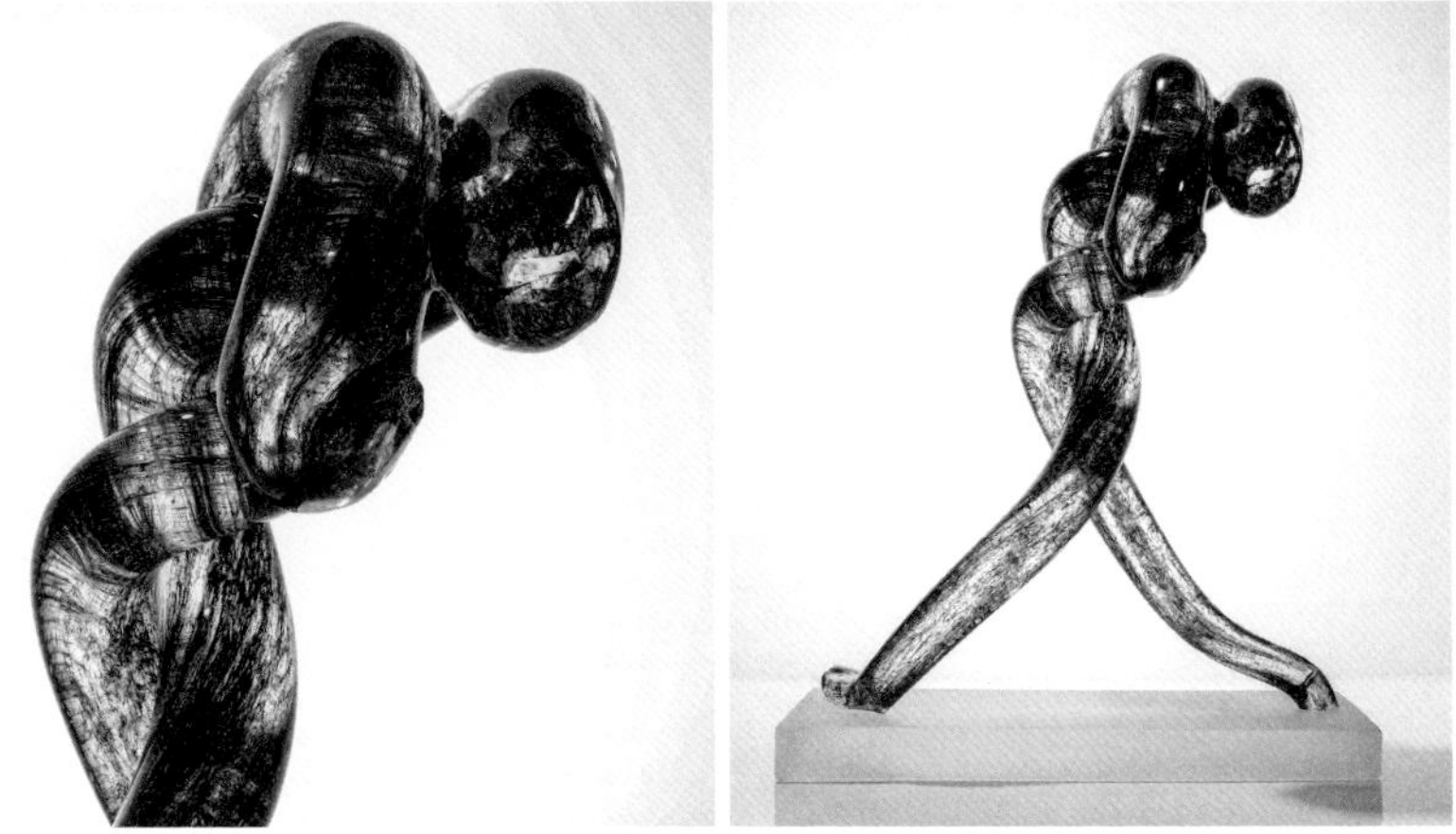

《Twist Dance #1》 ２０１４年
ガラス・ワイヤー入 46×24×48㎝ 撮影：八木ジン

きで、この一双の渦巻きのなかに、植物の生と動物の生の互いに補いあう間柄が示され、植物は大空と大地に向かって葉っぱと根っこを思いっきり伸ばすが、動物は外に伸びるのが触手と肢《あし》だけで、体の奥深く、腸の内腔《ないこう》にまで葉や根っこの姿を隠してしまう。植物の体は、動物の体から腸管を一本引っこ抜いて、ちょうど袖《そで》まくりするように裏返しに引っくり返していったものである。「樹皮に刻まれたラセンの条溝は一転して内側に移動し、こんどは腸管の内面を走ることになる。こうしてラセンのヒダを持った腸管が、生きた鋳型としてウンコの鋳物を造り出す、という関係が成立する」「腸管の内腔には、天地が凝縮されている」（福音館書店『うずまき　かがくのとも　２１３』付録所収「渦《うず》の中に〝宇宙〟が凝縮」より）と指摘し、実に面白い。実はわたしがつくる大型の縄作品は、恐竜のウンコだと息子や友人たちに揶揄《やゆ》されるのである。作家としては全くその意識はないのだが。

植物の中空の管と逆さまの関係であっても、人体も中空の管。管である以上、詰まらせてはならぬ。いのちの風が吹き通る管なのだから。天と地が行き来する、宇宙と往来する、宇宙とひとつになる、宇宙と一体であることが自然なことなのである。母体のへその緒でつながり、親から子へと受け継いできた、わたしのいのちをつなぐＤＮＡも、素粒子、宇宙の始まりからつながって、また宇宙へ還っていく。

《縄の石》 1994年 サイザル麻、ストーンパウダー、樹脂 L11×H24×W24cm 法然院（京都市左京区）苔庭にて
麻縄を埋めた立方体石樹脂を、ダイヤモンドカッターで三分割した作品 撮影：著者

東日本大震災後、防災について子どもたちに伝えなければと、病を押して講演活動していた、わたしと神戸高校同期生の地球物理学者・福山薫氏は、病床から長い電話をかけてきた。「地球も宇宙の塵、ぼくもまた宇宙の塵に戻るだけ」と最期の言葉を残し、意識が遠のき亡くなった。全ての生きものもわたしたちも、宇宙とへその緒でつながっているので、宇宙の動き、宇宙の螺旋回転と一緒のリズムにあわせて生きることが自然なこと、当たり前のことなのだ。病や世の不条理など、喧騒な日常に追われるわたしたち現代人の自然な、いのちのリズムが乱れている。その自覚すらできないで生きている。そう、ここで一息してみよう。

中心の空性

全ての素粒子は回転している。それが全て左巻き回転。銀河宇宙も左巻き。台風は北半球では左巻き（反時計回り）南半球では右巻き（時計回り）、どの渦巻きも中心は「空」になっている。暴風雨にさらされる台風だが、渦巻きの中心である台風の目は、静かで青空が見えることもある。竜巻の真ん中も「空」。外周の渦巻きが勢い良く螺旋を描き昇る。円盤の中心のまわりを、螺旋回転している銀河。それはスーパーストリング理論が予言する「影の物質」が、円盤のまわりに大量にあり、その強大な重力の効果によって、美しい渦巻きが保たれるという説もある。しかしながら、宇宙全体がその渦巻銀河をどう回転させているのか、銀河はなぜきれいな渦をつくるのだろうか。この螺旋の神秘の道は延々とつづいている。

身近に経験する台風の渦は、回転速度も速ければ速いほど、強ければ強いほど、遠心力が働き、台風の目は気流が穏やかになり無風、静か、晴天、その青空は、はるか宇宙の果てにまで届くかのようだ。縄もしかり。撚りを強く回転させ綯《な》う、三本、四本、五本と綯うとその芯は大きくなる。その芯は空洞。まわりは強く回転するが、空洞の芯は全く動かず、静止したまま。まさに不動の中芯。空であり虚といえる。空虚、うつろなるものが芯だといえるのである。

河合隼雄氏との番組で、夢窓国師の「別に工夫なし」という書の話題から、わたしは「縄の中空構造」を話すと、河合隼雄氏は『古事記』神話における中空構造の考察をしたよと、後日、『中空構造日本の深層』の著書が届いた。以下、わたしなりに要約すると、「日本神話の中空構造」として、

第一の三神　（天地の始め）　タカミムスヒ　アメノミナカヌシ　カミムスヒ

第二の三神　（天界と黄泉の国の接触）　アマテラス（天）　ツクヨミ　スサノヲ（地）

第三の三神　（天つ神と国つ神の接触）　ホデリ（海）　ホスセリ　ホヲリ（山）

を挙げ、各々三神の中心に、実体のない、力もない働きもない無為の神として「アメノミナカヌシ」「ツクヨミ」「ホスセリ」を持つことに着目、この一貫した構造を『古事記』神話における中空性と呼び、基本的事実であると捉える。日本の神話の中心は、空であり、無である。アマテラスが太陽神であり、神話の中心のように思われるが、アマテラスとスサノヲの対立性も敵対者とは簡単に規定できず、善悪の対比も明白でも単純でもない。両者の対立も女性原理と男性原理の対立とは断定し難く、興味深いことには、タカミムスヒは戦闘などの男性原理、カミムスヒは生成、豊作などの女性原理であるが、アマテラスとい

う女性神はタカミムスヒという男性原理を背後に持ち、スサノヲという男性神はカミムスヒという女性原理を背後に持っている。何かの原理が中心を占めるということではなく、それは中空のまわりを巡回していると考えられ、日本神話には、正と反との巡回を通じて、中心の空性を守るという円環的な現象が繰り返されているのである。相対立する中心に、無為の神を置いている構造は、絶対権力の統合ではなく、力のバランスを均衡せしめる。中心が空であることは、善悪、正邪を相対化し、対立するものの共存を許すモデルである。――このように神話を分析することで、日本人の精神の中空構造を説いている。正と反との巡回、中心の空性とは、正邪の螺旋回転、まさに縄の本質。相反する、矛盾する縄の動体構造は、この中空構造が源の底にある。

ゲーテは『植物の螺旋的傾向』で、すでに植物の垂直性を男性的、螺旋性を女性的ととらえ、男性、女性として存在しながらも、両者ともに他方なしには自己存在と活動の根拠を失うものと考えられたのである。男女の別を超えた始源的な生命の本質、すなわち両性具有へ目を向けているのである。植物の根源的生命の隠された聖域に迫って「生きた螺旋」を視座しているのだ。

男性原理のなかに女性性、女性原理のなかに男性性、相対立する中心に双極がある。縄は、まさに充満した無、空の世界だと思う。

縄のしくみ、縄のうつろい・揺らぎ、空虚、中空の構造は、東洋思想、仏教哲学、現代物理学、分子生物学などや、ゲーテの螺旋表象、日本神話の根源にまで通じていたとは、実に興味ぶかい。縄の中空構造として循環、再生のイメージは、精神世界、世界の蛇信仰、日本の古代信仰、縄文の神、そして、なぜ縄文紋様なのかともつながっていきそうだ。

V 縄ロジー哲学の実践・芸術

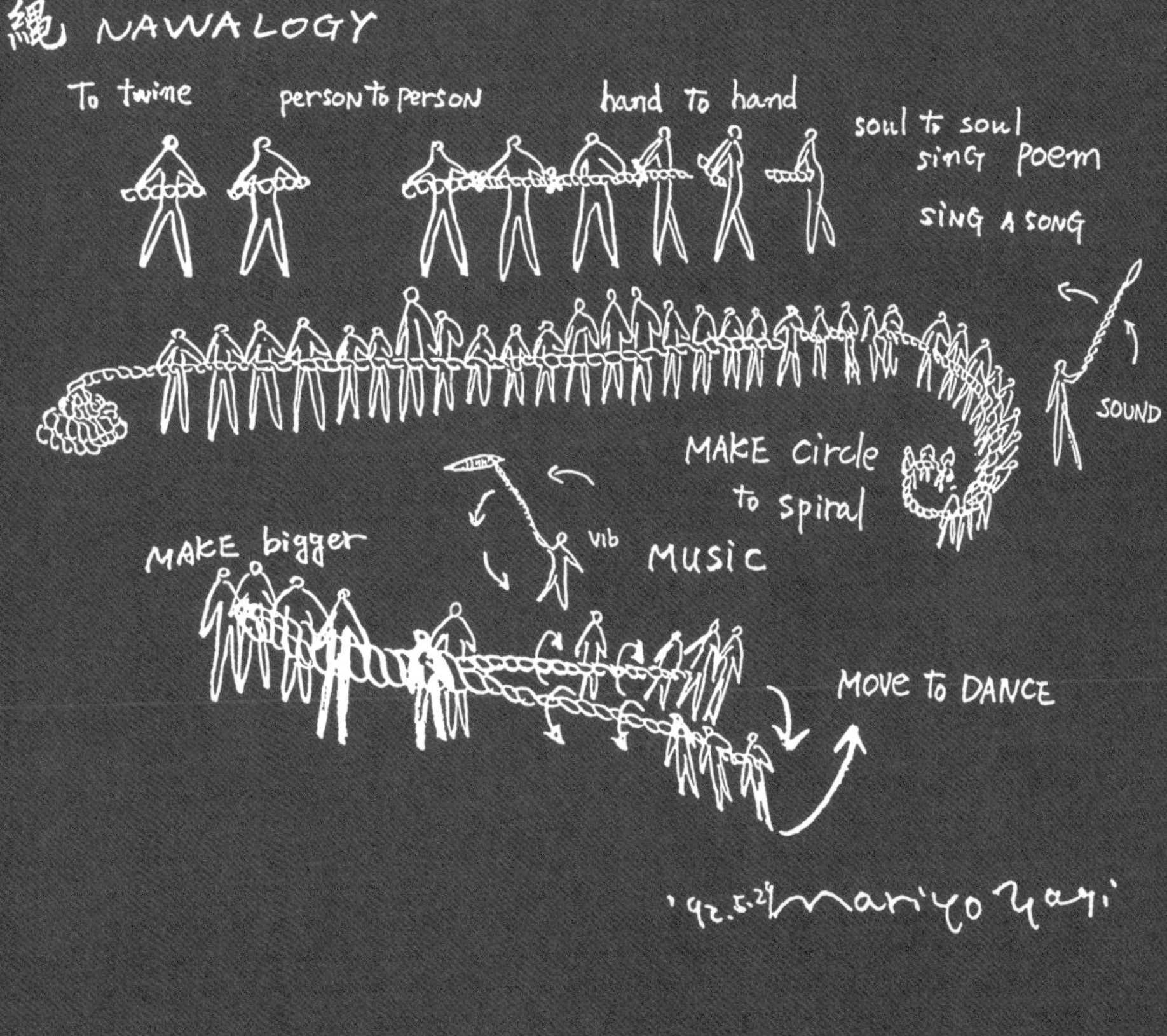

1　新しい地軸を探る旅

平和を求める旧ユーゴのプリンセス

旧ユーゴ最後の王室のプリンセス・エリザベス（イェリサヴェータ・カラジョルジェヴィチ）がわたしの比叡平のアトリエを訪ねられたことがあった。それは一九九〇年の春の京都でのある集会で、わたしが強い視線を感じて目があった美しい女性で、どなたかも知らず自己紹介すると、プリンセス・エリザベスだった。その翌日、アトリエでわたしの着物をお召しになったその着こなしは、初めてにもかかわらず、さすがだった。その気品と教養がロイヤルファミリーなのかと感心したものだった。明るく聡明で茶目っ気もあり、二人の娘と一人の息子の母親でもあるチャーミングな女性に、わたしはとても惹きつけられた。不思議にテレパシーが通じあう仲良しになって、電話やファックス、手紙などのやり取りもするようになっていった。

ニューヨークにある有名なロシアンペントハウスの、南面の二部屋だけの小さなアパートのリビングキッチンには、父にあたるユーゴスラビア王国パヴレ王子の写真が飾られていた。父パヴレはクーデターにより王国の摂政の座を追われ、第二次大戦中、英領ケニアで自宅軟禁状態におかれたので、幼いプリンセス・エリザベスもケニアで過ごしたという。戦後、共産化されてユーゴスラビア共和国となったので、長年祖国に帰れなかったある日、ベルグラード空港までこっそりお忍びで降り立ったとわたしに話されたこ

《The Spiral Locomotion》　ロングハウスリザーブ庭園美術館所蔵
プリンセス・エリザベスとマリヨ　1993年、ニューヨーク、
ハンターカレッジギャラリーズ展覧会にて

とがある。

わたしがニューヨークの拠点にしていたアパートのご近所さんだったので、香り豊かな紅茶とビスケットをいただきに伺ったころの話である。また、ニューヨーク・ハンターカレッジギャラリーで開いていたアメリカ・ブラジル・日本三人環境芸術国際展にも来られ、展示していた真っ赤の大きな縄作品《スパイラルロコモーション》に、ひょいと腰掛け、太縄にもたれて「今からテレビ出演だから、顔をペインティングしてきたわ」と、すなわち厚化粧してきたと笑っていらした。天衣無縫。とても深い苦悩を抱えてこられているとは微塵も感じさせない。ほんとに素敵だった。

一九九一年にユーゴスラビア紛争が勃発。彼女はセントラルヨーロッパのより良き未来のビジョン、平和的な統合のために活動するプロジェクトを担う、プリンスセス・エリザベス財団を設立するため、メキシコや南米など世界各地で資金集めなどに奔走されていることを知った。傷を負った子どもたちや女性を救うため、船上病院としてドナウ川を往来させる活動などをされていた。祖国だけでなく周辺地域の子どもたちや、若い世代のため、よりよき暮らしを支援する環境開発会議を開く計画をしているが、ユーゴスラビア紛争が恐ろしく最悪になっている状況に、とても残念であるとも吐露されていた。しかし、手紙にはいつも、たくさんの愛、考え、平和、閃き、感謝を送ると書かれ、そして、わたしの幼い息子や娘のことを気にかけてくださり、思いやりと情熱に満ち満ちていた。七つの国境、六つの共和国、五つの民族、四つの言語、三つの宗教、二つの文字、一つの国家といわれる、多民族国家のユーゴスラビアが、バラバラに解体していく過程で、泥沼のボスニア・ヘルツェゴビナ紛争がつづいた。虐殺や強姦、異民族の子を妊娠させコミュニティーを破壊する恐ろしい民族浄化も行われた歴史がある。一九九五年和平まで、最近のことである。

虐待、差別、排除

プリンセス・エリザベスは、ユーゴスラビアで多民族の統合、平和への道のために、縄ロジーのアートプロジェクトをおこなうことを模索されたのだが、あまりに当地は危険すぎて、とてもその環境ではないと見送ることになった。かの地の紛争が落ちついてから現在は、ベルグラードに住まわれている。たかだか二十数年前のこと。彼女はニューヨークにいたとき、又従兄弟のチャールズ皇太子と電話のあと、「男たちはどうして戦いが好きなのだろうか」とつぶやいていた。

わたしの母は戦争中、赤ん坊の兄を抱いて焼夷弾を避けながら、防空壕に逃げ込んだという話を聞いていた。その母の顔にはよく青あざがあった。幼心にも辛かった。荒々しい怒鳴り声をすぐうしろに、幼いわたしの手をつかんで裏口から逃げ、気づけば片方は裸足の冬の夜もあった。暴力のあとは、すっきり何事もなかったかのように平気な顔をしていると、痛みの残る母は話していた。

暴力を悪いとは微塵も思いもしないのか。父の家庭内暴力は、ただただ恐ろしかった。今でさえもドキドキする。母も哀しい心の傷は決して癒えなかったろう。やんちゃだがわたしには優しかった四歳上の兄・康之までも思春期になると荒れていた。わたしの唯一の兄は四十六歳の若さで亡くなった。

父、八木康吉の祖父力蔵は一代で質屋をおこし、その長男栄吉は、竹内栖鳳の門下に入り橋本関雪、上村松園らと日本画を学んでいたが、力蔵の反対で断念し家業を継ぐことになった。力蔵は俳人で浄瑠璃など芸能を愛する人物であるが、家業が大事だったのだろう。画家を断念した栄吉は、長男の康吉に自分の夢を託した。母つるに厳しく育てられた康吉は、東京藝大油絵科の小林万吾らに師事したのだった。しかし戦争で家業や資産は全て失い、四十歳で初めて神戸アメリカンスクールの教師として働くようになり、高校や短大の教師を勤めた人である。家庭以外では温厚で優しい人に見えていたらしいが、なぜ家庭内暴力に訴えてきたのか。日本では士農工商の時代から支配意識や戦後も男性優位社会がつづいているが、なぜ暴力が正当化されるのか。世界中、コロナ禍でさらに増加している家庭内暴力や性暴力、弱者へのいじめ、差別、虐待、他者を排除する暴挙。人間の本性の弱さや愚かさと一言ではいえない闇である。

縄ロジーを世界に

話が前後するが、プリンセス・エリザベスがアトリエに初めて来られたとき、縄作品や縄ロジー概念に感銘され、縄ロジーを世界にひろめるようにと、翌年、ソルトレイクで開かれたグローバルフォーラムアート部門のメンバーにわたしを推薦された。国連開発計画の外部組織として生まれたグローバルフォーラムは、ゴルバチョフ、ゴア副大統領、カールセーガン、ダライ・ラマら、政治、経済、科学、宗教、ジャーナリズム、芸術などのジャンルを始め、国境や宗教文化の違いを超えて、人々が集う地球環境会議である。世界各国から集ったのは、作曲家、ミュージシャン、ダンサー、俳優、詩人など、あらゆるジャンルのクリエイターたちだった。そこで知りあったブラジル人のメイ・イーストから、ブラジルでのリオアースサミット・世界芸術文化会議オマメプロジェクトに出品要請を受け、リオ’92に参加することになったのである。

それはブラジル先住民の創造神であるオマメの神話から「生態的、文化的に多様な存在を宿す地球と宇宙のつながりを求めて」を主旨に、地球市民として、南北格差問題、持続可能な社会の構築へ向けた環境声明をだすために、詩人、音楽家、劇作家、美術家百十人が世界各国から招かれたのだった。ルーツをたどれば人間も生物もみな兄弟、大地への感謝、神聖な火、大気や水の大切さを再自覚し、宇宙を始めとする生命は、どこからきてどこへいくのかの問いを、共有しあう文化会議だった。最終日、国会議事堂前広場に描いた星型の周囲に、芸術家たちは手をつなぎ大きな輪となり、アマゾン先住民族のシャーマン、デビ・ヤノマミの歌と太鼓のリズムが夜空に響き始めると、突然にも、大地と宇宙をつなぐ磁力を呼ぶ役目を、わたしに演じるよう指名された。「頭天の渦がまわるように、あらゆる生命遺伝子ＤＮＡのエネルギ

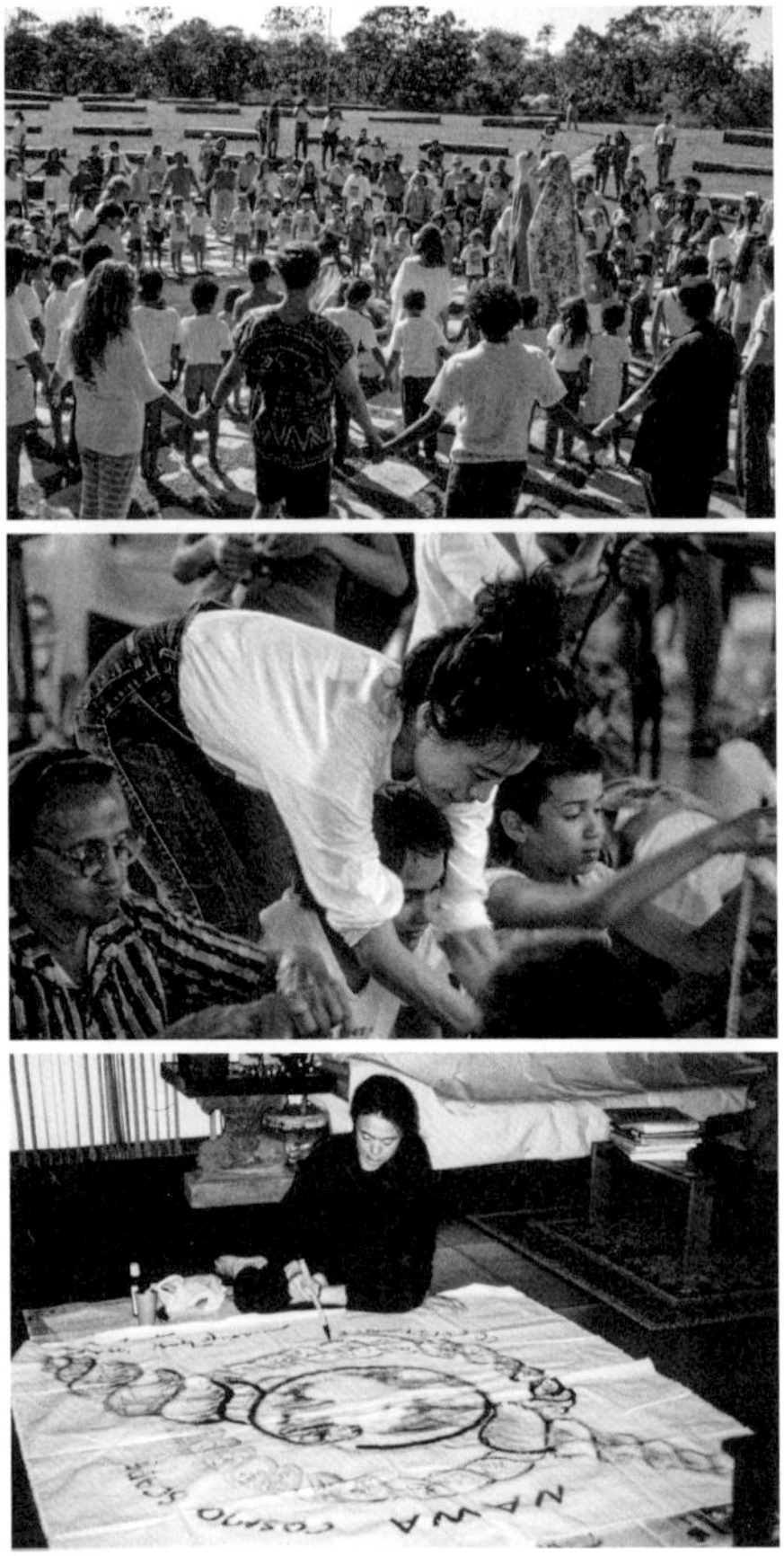

《NAWA LINK in ブラジル》 1992年
アースサミット関連プログラムにて

アマゾン先住民族のシャーマン、デビ・ヤノマミと著者

ーは宇宙、地球、全ての存在の核心に内在する。人類の手が生みだした縄は、目に見えない生命の磁力を持ち、未来へつながる」と即興で詠《うた》った。結局、この縄ロジー概念が、環境声明の骨子となった。

参加芸術家たちとの交流で、知りあったアメリカのパトリシア・ヨハンソンとブラジルのリア・ド・リアと日本の八木マリヨの三人による環境芸術国際展をそれぞれの国で開くことを決めた。ほかに、エストニアからアメリカに亡命していた国民的歌手ＵＲＢ兄弟とも意気投合し、スピリチュアルネットワークをつくっていくことになったのである。

エストニアのURB兄弟　京都・法然院にて　1993年

実はバルト三国の一つのエストニアについてわたしは何も知らなかった。エストニア共和国は第二次世界大戦でソビエト連邦に占領され、ナチスドイツにも占領され、はたまたソ連に併合され翻弄されたあげく、共産圏のなかで貧しいままの辺境な国だったのである。戦後育ちのＵＲＢ兄弟は歌う医者と称され、心を癒し地球を癒す活動をしていた。兄タルモ・アーブはスピリチュアルな能力を持ち、エストニアの自然や魂を、自由な詩心で歌うシンガーソングライターで、長身のハンサムな弟トーマス・アーブは俳優も兼ね、ＵＲＢ兄弟は若者に大人気だった。共産主義からはみだすタルモの発する言葉は刺激的で、その詩は若者に影響を与え、自由への憧れを駆りたてるものだった。タルモはついにソ連ＫＧＢに捕らえられ、牢獄に監禁されたのだ。弟トーマスは当時の首相ゴルバチョフに嘆願書をだし、彼によって解放された。しかし、市中に戻るや、ＫＧＢに命を狙われる危険が迫った。急遽、バルト海を渡る決意をしたＵＲＢ兄弟は彼らの母を残し、トーマスの妻も残したまま、自由の国フィンランドへ決死の逃亡を成し遂げたのだった。そしてアメリカに渡ったのである。まるでドラマや映画のようだ。実際に起こったことである。後にその話がフィンランドで出版されたそうだ。

エストニア民族大合唱と縄のつながり

ソ連崩壊直前に、ソ連の戦車に立ち向かうのはエストニア民族大合唱だった。三十万人もの人々が各家に伝わる民族衣装を着て、手をつなぎ、大合唱した民族合唱祭で、流血や暴力を伴わず、静かに独立を果たしたのだ。歌う革命と称されている。日本の明治維新の翌年にあたる一八六九年に第一回目の民族合唱祭が開催され、公用語ではないエストニア語で、全員の声をあわせて歌うことで、民族の独立精神を支えたといわれている。そんな歴史を持つ国で「歌う」、この人間だれでもみんな生まれ持つ表現で、ＵＲＢ兄弟は自然観、人権、自由、平和を歌っていたのだった。

　声をあわせて歌う合唱は、心をあわせ、人と人をつなげハーモニーを生む。このハーモニーの力は縄の本質「あなたとわたし」と通底しているのである。

　わたしが初めてエストニアに出かけたのは独立した直後だった。ＵＲＢ兄弟も晴れて帰国していた。エストニアの首都タリンとフィンランドはフェリーボートでつながり、高速船だと一時間半、まるで瀬戸内海を渡るような感覚だった。タリンの街は詩心に溢れ、芸術的でとてもシック。古きパリ情緒の、いわば小パリのようだった。タリン市庁舎などがある歴史的建築群の裏にまわると、壁は色あせて剝がれ、窓ガラスもひび割れたままになっていた。そばにはソ連共産圏の様式建築、すなわち、そっけない灰色の堅牢そうな建物が暗い影をつくっていた。その光と影のギャップは、そのままエストニアの人々の顔にも現れていた。内面的な深みある表情で、しかも険しくなく穏やかなのだ。人間味溢れた豊かさを備えていた。

黄色系と白色系も入り混じっている。エストニア国立博物館の考古学者トニスピントさんは、エストニア人のルーツはロシア・ボルガ流域のマリ人、ウドムルト人などのウラル・アルタイ系のアジアの民だという。わたしが訪ねたエストニアのサーレマ島に住むシャーマンは、長い黒髪を束ね、顔に刺青をしていた。鋭い眼光はモンゴル・ラップ族のようなシベリア遊牧民や狩猟民、アラスカのインディアンを彷彿とさせていた。エストニア人の心にはアニミズムの信仰や太陽信仰があるという。縄ロジー哲学に興味を持ち、アマテラス神に対して深く聞いてくるのでたじたじだった。彼は、大変なエネルギーを注入しなければならない縄プロジェクトをおこなう原動力はどこからくるのかと懸念し、木造小屋の囲炉裏に火をくべながら、スモークサーモンやヨーグルトをかけたポテトをふるまってくれたのである。

民族のルーツ

URB兄弟のネットワークで、二十歳の女性、オーバ・オイットが京都のアトリエにエストニアからやってきた。美しく透きとおるブルーの目はひときわ輝いていた。一ヶ月の滞在中、比叡山や北山雲ヶ畑の聖域などスピリチュアルな世界の虜になっていた。日本のファッションやアニメなどより、縄ロジー哲学をしっかり吸収して帰国した。そして彼女自ら縄プロジェクトをエストニアで推進すべく人たちを集めてくれたのであった。

その核となる人物はアイノという名のわたしと同年代ぐらいの女性だった。アイノは知識人家庭に育ったが、文化より労働が全てという統制、知識人弾圧の体制のもとであった。まして、女性が大学で学問することは許されず、農業や家事一般さえできれば良いという価値観の時代。アイノは「姓名を名乗れば家系や女性であることがわかる。姓名を偽りまでして、ラトビアの大学でデザインを学んだ」と眉間に深くしわを寄せた。卒業後、ヨーロッパ西洋文化でなく、はるか東洋、極東の日本に憧れていたので、国立タリン工科大学物理学教授で、駐日エストニア臨時代理大使であったヘイキ・ヴァラステから生け花を学んだという。ヘイキは独学で日本語を学び、歴史はもとより、俳句、茶道にも造詣が深く、謙虚な人柄であった。

アイノやヘイキたち知識人は、ルーツを常に求め、魂の原点、自然観を内省するときには、ウラル・アルタイ山脈を思い描き、ユーラシア大陸の中央を民族の精神的根源だと想像するそうだ。アルタイ人は東西に移動し、東端に日本、西端にエストニアがある。だからルーツはつながっているのだと話す。他国に支配され、母国語も使えない人々にとって、自身のルーツ、民族のルーツを探し求める思いは強く、アイルランドの人々もそうであった。ゲール語の復活を切に願っていた。中央ヨーロッパのユーゴスラビアもしかり。多言語、多民族の融和は実に難しい。日本もアイヌ、沖縄、同化政策で言語は失われ、苦しい思いを強いられてきた人々のルーツも曖昧になる。しかし一方、縄文時代から、大陸からやってきた弥生人や黒潮に乗ってやってきた人などと縄文人は国際結婚し、平和的に多文化が混じりあってきている日本ではある。

『地球の命綱・縄』

一九九二年、リオデジャネイロでのグローバルフォーラムは政治、経済、科学、宗教、ジャーナリズムなどだけでなく、芸術から多様な地球市民、多様な民族文化を花咲かせていく、スピリチュアルネットワークをつくっていこうと呼びかけることになったのだ。親しくなった芸術家たちとのグローバルな活動として、各自国における展覧会開催は、各作家の責任で交渉や企画全てをおこなうという条件で、三人環境芸術国際展を開催することとなった。一九九三年八月からリオデジャネイロ国立美術館をかわきりに、ニューヨーク・ハンターカレッジギャラリー、カルフォルニアクラフト美術館、最終開催は一九九四年五月、東京ギャラリー日鉱と、おおがかりな展覧会となった。

　東京では梅原猛氏と、元岡本太郎美術館館長で美術評論家の村田慶之輔氏をまじえたシンポジウムもおこない、各国の大使を始め、ノーベル平和賞を受けたアルゼンチンの彫刻家・建築家のペレス・エスキベル氏も来館された。そこで、ペレス・エスキベル氏と縄プロジェクト・ネットワークを連携することになったのだ。

　また、わたしは当時まだエストニアと国交がなかった日本に、URB兄弟をアメリカのビザで呼ぶことに成功し、島根、京都、奈良、北海道、東京などで、彼らの音楽と縄プロジェクトを始動させた。わたしの考える縄プロジェクト・ネットワーク《地球の命綱・縄》とは、南北格差や地球の危機を救う、精神的指針「新しい人類の地軸」を示すものである。

「ブラジル・アメリカ・日本　三人の女性環境展」　東京・ギャラリー日鉱
アルゼンチンの彫刻家でノーベル平和賞受賞者のペレス・エスキベル（右）を迎えて　1994年

地球のつむじとへそ、ユーラシア大陸と南米大陸

　京都につくった縄彫刻《地軸》（一九八八年／9頁・120頁）は、高さ十メートルの縄が、コンクリート床を突きぬけ、天に向かって直立している。この地軸が、地球の反対側のどこに抜けるかと地球儀で見ると、ブラジルの沖合になる。地球が若かったころ大陸がひとつだったが五大陸に分かれ、現在も南北極点も揺

《鉄の惑星―東経110度・北緯50度 今》 2022年 個人所蔵
ポーラミュージアムアネックス（東京）「地殻を辿る」二人展
鉄鋼 41×120×235cm 撮影：八木ジン

らぎ、地軸も揺らぎ動いている。

現在、地球の南北にある大陸のなかで、北には最も大きなユーラシア大陸がある。そのユーラシア大陸が、地球上に生まれた地点、つまり地球のへそにあたる地は東経一一〇度・北緯五〇度で、世界最古の湖、バイカル湖あたりになる。三重大学名誉教授で地球物理学者の福山薫氏が教えてくれた。そこで、北のへそ地点から「地軸」を、地球の反対側に向かって貫き通すと、南アメリカ大陸アルゼンチン・チリの南端、ホーン岬あたりになるとわかった。そこは常に風が渦巻く大陸のとんがり帽子のような荒天の地で、地球のつむじにあたると思った。地球の「つむじとへそ」にあたる地ということは、頭のつむじを下に、おへそは上に、南北を逆さにすると、天橋立の股のぞきのように、一挙に南北の視点が変わる。風土がまるで異なる「つむじとへそ」地点に、世界の人々と共に、縄の柱・軸を立てる行動によって、新しい地球観が芽生えるのではないか。混迷の時代に、国や民族、宗教の違いを超えて、人々と共に力をあわせて、二十一世紀の新たな地軸―心の基軸を示すことの意義を強く感じたのだった。宇宙ステーションから見れば、南北を突き抜ける「新たな地軸」が見えるのではないか。そんな夢プロジェクトを構想したのだった。その構想は一九九四年の日本文化デザイン会議の「ガイア・ネットワーク」で、「新しい地球の地軸を探る」として紹介している。

わたしは揺らぐ地軸、新しい地軸を探る旅となる、モンゴルへ行く機会に恵まれた。その年、二〇〇二年の初めは東ベルリン近くにあるケルトの村を訪ね、異常な疲労感を覚えたので、帰国後すぐ総合病院で検査してもらったが、自律神経失調症だろうと診断を受けていた。京都の祇園祭のころには身体が非常に疲れていると自覚はしていたものの、八月にはモンゴルまで出かけたのだった。

モンゴルのパオに使う、フエルト文化を現代に生かすアートプロジェクトを、ドイツ・パラレル・カッセルドクメンタ展を世界的潮流に乗せた功績のエル・アッタールが、ウランバートルで準備していた。そのエル・アッタールのフエルト文化プロジェクトに呼ばれたのだ。

エル・アッタールはドイツへ政治亡命したエジプト人で、イスラム帝国アッバース朝の末裔にあたるらしい。首都ウランバートルの街角で、ある夜、彼は何者か刺客に危うく殺されそうになった。モンゴル帝国とイスラム帝国の争いの因縁かと真顔で話し、怒りと恐怖の傷を負いドイツへ帰国していった。明るく強い精神の持ち主だったけれど、その事件から心の病を患い、モンゴル産業を興す、国境を超えたプロジェクトだったフエルトアートプロジェクトは、中止となってしまったのである。

モンゴルの西端には、エストニア人のルーツのアルタイ山脈が横たわる。そのユーラシア大陸のおへそにあたるバイカル湖東、モンゴルの巨石遺跡巡りを始めることになった。梅棹忠夫氏の『回想のモンゴル』を読んでいたので、国立民族学博物館のモンゴル研究者に、巨石遺跡探検方法を聞いたが、無謀だと一言しかなかった。しかし、このチャンスしかないと、ジープを雇って運転手の男と女のわたし一人だけではと思い、フエルトアートのオランダ人作家を誘い、ユーラシア

モンゴルの鹿石　バイカル湖東南あたり　撮影：著者

大陸のへその地をめざしたのだ。
　砂漠地帯特有の一日の気温差の激しい気候で過酷な旅であった。羽を広げると三メートルもあるかのようなオオワシが、サバンナの草原で、人間よりも大きな動物を食んでいる。いちめん、見わたせども身をかくす場所もない。ちっぽけな人間はひとたまりもなくつまみ上げられる。テントでは夏でも凍える寒さのうえ、白鳥や鶴たちについばまれ、大カエルも入ってくるので一睡もできない。しかし、満天の星の下、点在する遊牧民のパオに宿泊させてもらいながら、へその地あたりの巨石遺跡を巡った。遺跡は風化し大地に帰っていくかのような、別の惑星に来たのではと思うほど、当然、人っ子ひとりいない異世界の風景だった。巨石にも渦紋線刻も見られた。

　十日間ほど、道なき砂漠を走っているうちに、疲れきっているはずの身体が、充電されていく感覚がした。やはり生まれ出づる大地の源には磁力のパワー、ボルテックスがあったのだろう。アメリカの先住民に大切にされてきた、セドナのボルテックスの磁力パワーより強烈だったと思う。しかしウランバートルに戻るや、わたしのチャージがきれてホテルで寝込んでしまった。飛行機に乗り帰国する体力もなかった。そこで初めて癌に冒されていると自ら直感したのだ。帰国後、案の定、末期癌と診断された。

　ユーラシア大陸のへその地に行き調査したものの、アルゼンチンの南端ホーン岬あたりには行けずじまいになった。宇宙衛星を通じて見る、二十一世紀の新たな地軸―心の基軸の《地球のつむじとへそ》プロジェクトは、構想だけに終わり、ペレス・エスキベルとの音信も途絶えさせてしまった。しかしながら、わたしにとっては、アイルランドを始め、プリンセス・エリザベスとの出会いからブラジル、エストニア、モンゴルへと広がり、南北大陸はつながっていったのである。

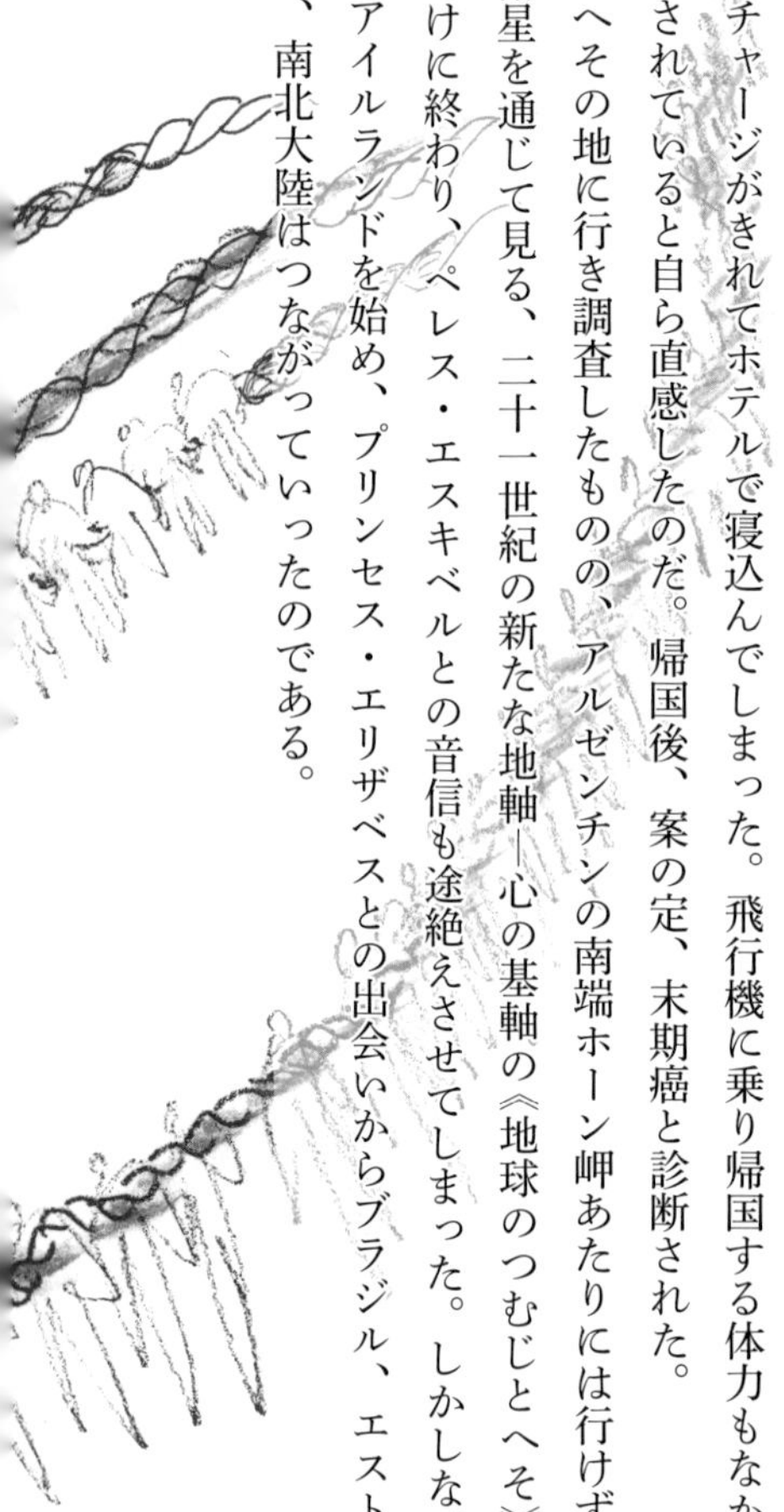

2　縄ロジー・アートでつなげる地球

「なとわ　汝と我　あなたとわたし」

わたしは縄を「なとわ 汝と我 あなたとわたし」と紐解いたことにより、人と人の対話から、地球環境、持続可能な社会の平和を求めるＮＡＷＡＬＯＧＹ哲学を考えてきた。国や宗教、民族、年齢やジェンダーなどの違いを越えて、人びとが協力し、汗するリアルな体験で、各々の心がつながり、お互いの理解を深めあう社会芸術として生みだしたものだ。縄アートでつなげる運動《NAWA LINK》プロジェクトを一九九一年国連開発計画のグローバルフォーラムで発表し、リオアースサミットにおいて開始した。その後、二十数年間に、十五のプロジェクトを行った。

アイルランド・キララ、イタリア・クワラッタビエンナーレ《NAWA LINK》、阪神大震災一周忌・神戸《鎮魂の縄を綯《な》う・ルーツ》、ドイツ・カッセルドクメンタ並行展《NAWA LINK in Kassel》、北海道自然王国、エストニア・タリン《NAWA LINK 悠久を結ぶ》、米子市《国引きのなわ柱》、島根湖陵町《湖陵エコリンク》、鹿児島市《縄 take off》、山形市《RE-UNI》、京都市《縄バイタルリンク 21世紀の新地軸》、玉野市《前進》、フランス・アールステック《NAWA PROJECT 2009》、瀬戸内トリエンナーレ《男木島・汝我の塔 YOU&I》、ニューヨーク・ロングハウスリザーブ《NAWA AXIS for Peace 2011》など世界各地

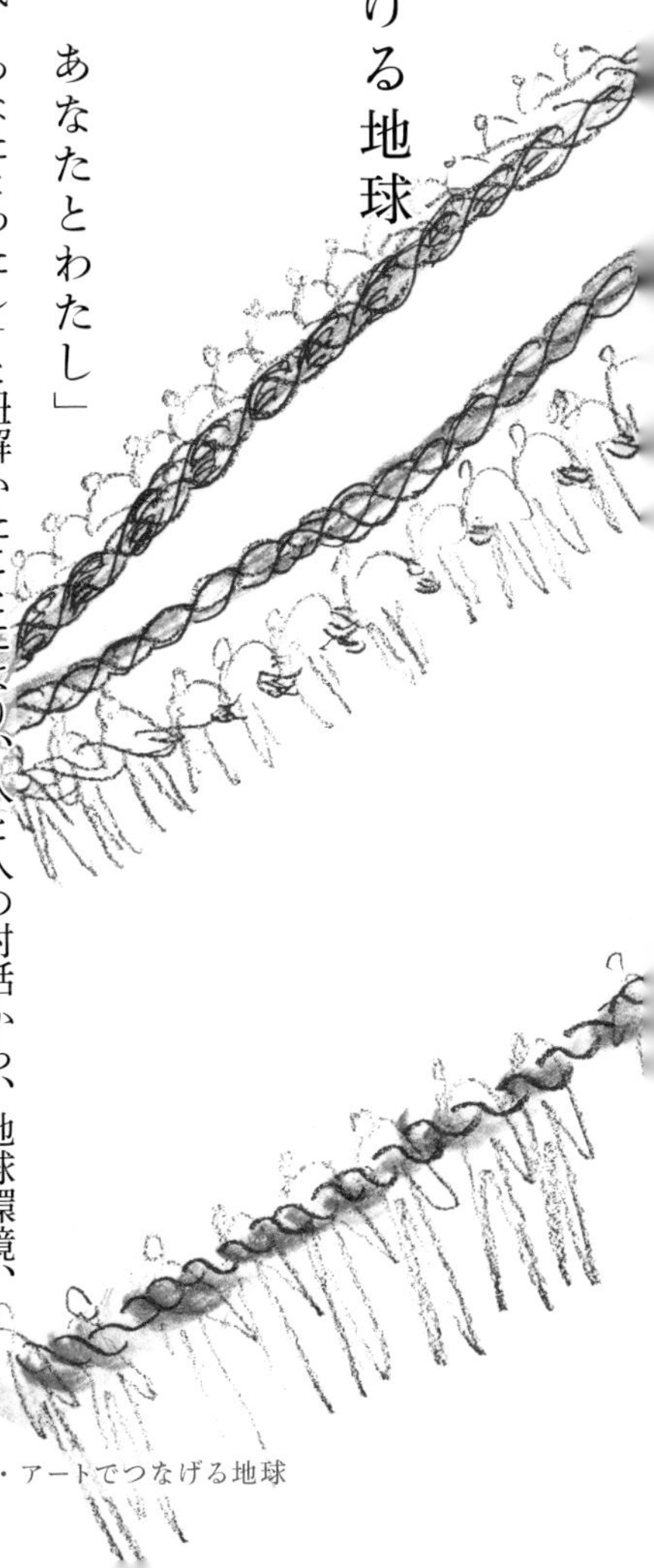

でおこなってきた。その他に、座礁に乗り上げたままになっているＮＡＷＡＬＯＧＹプロジェクトは、ユニセフ国連本部ニューヨーク、デュッセルドルフ市ジャパンデーやオランダ・ユリアーデ国際人権財団などもある。

現代社会の命綱

このようなプロジェクトは、最近になって日本で注目されだしたソーシャルエイドアートとも呼ばれるジャンルにも入るが、そのジャンルができるよりずっと前に確立させていた、わたし独自の社会芸術なのである。この一連の縄ロジー／ＮＡＷＡＬＯＧＹ哲学の実践芸術は、国境、文化、言語や宗教の差異を超え、助けあい、連帯し、協働することで、人と人の心を結ぶ、新たなコミュニケーションネットワークをつなげていくものだ。具体的に、地域の人々と大きな縄を綯《な》う制作過程により、心の絆を生みだし、「現代社会の命綱」をつくるアートプロジェクトでもある。この縄ロジー／ＮＡＷＡＬＯＧＹ哲学で、思いがけず、アナハイム大学の人文学名誉博士号を授与された。二十世紀のユダヤ人思想家マルティン・ブーバーの哲学を基に設立された、ユリアーデ国際人権財団に二〇一五年招かれ、オランダに出向いた。その時まで「対話的遭遇―わたしとあなた」を提唱したマルティン・ブーバーを知らなかった。わたしの縄ロジー／ＮＡＷＡＬＯＧＹ哲学での「縄―な・わ・あなたとわたし」は、初めに「あなたであり、わたし。」であるけれど、ニューヨークの美術評論家ロバート・Ｃ・モーガンは「肉体的、霊的存在としての二人の遭遇は、魂の中に霊的な存在が働き、精神的な目覚めが生まれる。ある時間と空間でのプロセスで、分かちあえる互いの存在を認識することが、いかに重要であるかを説くマルティン・ブーバーの思想と八木の縄の思想、縄ロジー／ＮＡＷＡＬＯＧＹには、類似性と親和性を見いだすことができる」と「Shared

Awareness Vision of NAWALOGY」で書いている。

では、縄ロジー／NAWALOGY哲学の実践の中で、いくつかの縄アートでつなげるプロジェクトを紹介しよう。

わたしの生まれ故郷、神戸で一九九五年未曾有の大震災が起こった。阪神淡路大震災である。戦後から築きあげた現代都市が壊滅的に破壊された。わたしは復興の願いをこめてその年、NAWA LINKプロジェクトをおこなった。朝日新聞の一九九六年一月二十六日夕刊に寄稿した一文を紹介したい。

燃え昇った縄の塔　震災1年　新芸術が神戸結んだ

炎は大地に屹立（きつりつ）していた縄の塔「ルーツ（根）」をいっきに渦巻きながらかけ昇っていく。大縄は火龍になって天に昇った。飛び散る火の粉は木立へゆらゆら漂い、再び炎の風で天のかなたへ舞い上がっていった。

大震災一年の十七日の夜、神戸市東灘区御影町にある弓弦羽神社の澤田政泰禰宜（ねぎ）から、淡路・一宮町のいざなぎ神宮で起こした火を私は受け、御影連合青年会代表十一人と大縄に火を放った。集まった人々は深い息をし、祈った。身体を揺する人、踊り始める人。声にならない人。目に見えないものに触れることができた。

NAWA LINK 神戸ルーツ　阪神淡路大震災1周忌　弓弦羽神社にて
縄・心の絆アートセレモニー

この環境芸術作品「ルーツ」は、地域の人々が心をひとつにしてつくった市民による市民のためのパブリックアートだ。昨年十月、人と人のつながりや、人と自然のつながりを体感しようと「縄―心のきずな・ルーツ・みんなで縄（街）をつくりましょう」と題した芸術の制作を初対面の澤田さんに持ちかけた。一つ一つ生かされ、一人一人生かしあい、連帯して初めて一つの強い縄（街）になる――こんな思いで古着の提供を呼びかけ、全国から一万着がメッセージと共に寄せられた。

「自然の大きさと人間の小ささ、価値観を見つめた。一番好きだったTシャツを」「あの時みんなの心はひとつになった。このことを忘れないために。古着がきずなになるのなら」「家族や地域のきずなも薄れゆく中で、人の和に加わりたく、若い頃の着物をほどきました。送り火の日に訪ねます。八十才」「小五の娘を亡くしました。その子の供養に」「家が全壊し地域を離れさみしい。これで太いつながりが生まれ早く帰れますように」「草も木も虫も鳥も動物も人間も街も立ち上がれ」

十一月の各日曜日、地域の人々延べ五百人が古着を結び、園児たちは麻布に絵を描き、メッセージを書き添えた。最後の日曜日、延べ百五十人が息を合わせ、「な・わ」の掛け声で、高さ八メートル、太さ一メートル、重さ一トンの大縄をない、境内に立ち上げた。その周りに土と御影石を盛り上げ、八角形に鏡面ステンレスを敷いた。足元を見ると、まるで鳥のように空を、魚のように海を泳ぐ心地だった。御影は水鏡に映る山神の御姿という由来をもつ。「ルーツ」は御影石の石垣、土の小径、灘の宮水、だんじり祭りといった阪神間の文化環境の復興を願ったものだ。

火柱はその大鏡に星、火の粉、木立、大勢の人を映し、天と地がまさにつながった。私は感きわまり、生まれかわったように身体が軽くなった。エネルギーが集まり、激しくラセン回転すればするほど、縄の中心は静寂な宇宙になる。私は縄になったと思った。

「あなたは天におられるのでしょうか。わたしたちはこの大地に今も立っています。あなたとこの大地のおかげです。わたしたちはあなたをおもい、あなたの心をつなぎます。〈な〉はなんじ・あなた、〈わ〉はわたし。〈なわ〉そう、あなたとわたし。手をとりあって。〈なわ〉は生命の炎です」。私はルーツの詩をうたった。

涙にうるみ「胸のつかえが消えました」と私の手を握りしめた婦人たち。「やるで」と力こぶしを見せた若者たち。人はだれでも深い哀(かな)しみを背負う。一万年前、三十億年前、時を超え、空間を超え【今・ここに】すべての生命とつながった。

「家内と犬と散歩しては見あげていました。きっとこの平和への夢は語り継がれることでしょう」と便りがあった。世界とつながりながら、地域がひとつになる文化の根を根付かせる環境芸術は、都市復興の原点となる。母なる地球はひとつ、多様な生命文化が縄のように撚(よ)り合わさるからこそ美しい。この縄をなう芸術は最も古くて最も新しいメディアといえる。縄ネットワークでコミュニケーションの新しいかたちと、新しい芸術のかたちをつくっていきたい。芸術は生きる根源にある。

芸術は生きる根源

この大地震の体験から、『形の文化誌［3］　生命の形・身体の形』にも「地球にすれば――芸術は生きる根源」と題してエッセーを書いたので、抄出して紹介する。

地球にすれば、あつ苦しくなって、はあっと溜め息を吐いただけに過ぎなかったのかもしれない。それとも地球にとっての生への道か死への道をたどる瀬戸際に、どこまでも甘えつづける人間に対して、ついに我慢しきれなかったのかもしれない。（中略）我慢強い地球が一息つく前から、この（阪神間の）文化景観はずたずたに切り剝がされていた。ぼんやり、ひとりごちる場所が消えていった。大切に育ててきた心の風景を土足で踏み荒らされたような悲しみだった。（中略）築いてきた都市や家や物が壊滅しても、過去から未来への人生は消えない。生き残ったわたしたちの深い傷は、決して癒されるものではない。これから、人と人の繫がりや自然の中から、生きる意味を見いだし、より深く人や自然を愛するようになっていくことしかできない。そのような大きな愛が深まることで、昇華されていく。このような過程で内面は深まり、身体の細胞のすみずみに沈潜する。沈潜できる空間が身体の細胞の中になくなったその時、身体が爆発する。それが創造の源泉だ。身体が爆発して空っぽになるから、芸術が生まれてくる。芸術はつまった頭だけからは生まれてこない。芸術は大きな愛の表現だ。大きな愛に触れたとき、人は感動する。芸術によって新たな生きる力が湧く。芸術は生きる根源だ。（中略）人間の勝手な都合だけでは地球も生き続けられなくなる。自然の摂理を学び、人にとって嫌なもの、臭いものも受けいれる穏やかな広い心を持ちたい。禍福はあざなえる縄のごとし（中略）縄のように多様な要素をより合わせて、新しい有機的文化景観都市をつくりたい。わたしたちの手で、創造していかなければ、尊い多くの人々の命、小さな虫や生き物の命、母なる地球に申し訳ない。芸術の底力がそこにある。

母的宇宙への旅路　ドイツ・カッセルプロジェクト

現代美術の最重要なドイツ・カッセルドクメンタ展に並行して開かれてきた国際展に招かれ、そこで制作した《NAWA LINK in Kassel 1997》もかなりのエネルギーを注ぎ込んだ作品となった。

《NAWA LINK in カッセル》 ドイツ　１９９７年　撮影：カール・ハインツ

全ての生きもののＤＮＡは中空を中心に二つの螺旋が向きあっている。

　縄は一つの螺旋では縄にならない。ＤＮＡのように、中空を中心に、二つ以上の多くの螺旋が向きあい、一つの縄が生まれる。地球規模で、人と人と自然の和を結び、目に見えないものの根に、向きあうために。生命の根源に降り立とうとする、母的宇宙への旅路がテーマであった。

　カッセル在住のアーティストのカローラ・ルフの協力で、ＮＡＷＡＬＯＧＹ哲学を、カッセルの小中高校生や各国から集まるシュタイナー教育者の実習生たちに説いてまわった。一枚の古着のＴシャツは、一人の個人をあらわす。そのＴシャツを一枚ずつ、二枚重ねで縫いあわせた長い筒帯に干し草を詰め、長い布筒四本をつくる。太い丸太を芯にして、四本布筒で縄を綯《な》い、一本の巨大な縄柱にする。この計画の制作過程にカッセルの街で自主的参加を募ったが、日本からは神戸大震災時のプロジェクトに参加していた松本知映さんと松村学さんも同行した。

肌の黒い女子中学生は「マイノリティーであるわたしだけれど、何百枚ものTシャツが綯われた縄のなかに、わたしの一枚のTシャツをしっかりと見つけることができる。みんなとひとつにつながっているが、わたしもしっかりと、その中に存在していることがはっきりとわかる」といった。

古着のTシャツはドイツ赤十字社に集まったなかから、難民への生活支援に提供したあとの残りものを利用し、縫いあわせ作業は、リトアニアやルーマニアなどからの難民女性にミシンがけ作業をしてもらった。学生たち参加者は、長くつなぎあわせたTシャツの帯に干し草を詰める作業や、その干し草入りTシャツ筒を縄に綯う作業、そして、できあがった四本の太い縄をさらに撚りあわせ、一本の巨大な縄柱にする協働作業をした。

東洋と西洋の精神文化の統合

面白いことに、先ず我と、自己を主張する西洋文化の人びとと、日本文化の人びとの参加の仕方の差異が顕著に現れた。その時のドイツの美術評論家ドリス・クリニンガーの評論の一部を紹介しよう。
「『NAWA LINK in Kassel』彫刻制作の意義は協働作業。全ての参加者の協働作業である。人々は制作のプロセスで様々な想像をする。その縄は境界となる地面から立ち上がり、物理的には上方で終わるのだが、その上にさらに空に向かって伸びていく縄が想像される。その縄本体からは、力が凝縮し蓄えられ、連続し進んでいく動きが見える。初めと終わりがあるが、どこが初めでどこが終わりかは明確にわからない。八木マリヨは縄のシンボル的な意味を、地球と宇宙をつなぐものとして、東洋神話と古代神話を引きあいにだした。西洋神話の中にも地球と天を繋ぐ観念として梯子《はしご》がある。梯子には階段組織の原則がある。縄には螺旋や波のように同じ形の繰り返しがある。彼女にとっての縄は、生命のメタファーであり、精神的核心であり、また、生存と文化の基礎としての原形で、生存に必要なエネルギーのシンボルである。なぜなら、生物学的な遺伝情報を伝えるDNAも同じ形態をしているからである。

縄は日本語で『縄』のみでなく、彼女は『あなたとわたし』と解釈するという。日本の社会概念では『協調―統合』とすることもできる。西洋の論理の基本にはそれと異なり、個人主義がある。個人主義においては、常に個人と社会は一線を画する。このように東洋と西洋の異なる考え方が、過去においても現在においても、それぞれの文化を刻み込んだ。彼女の芸術活動『NAWA LINK』からそのことが理解できる。なぜなら、東洋のメンタリティーを西洋のコンテクストに運び込み、そのあいだを振動し統合しているからである。」（翻訳：アレキサンダー・ズスト／飯田恭子）

この翻訳者は日本の山形での縄リンクプロジェクトを推進した中心人物であり、彼らが住むドイツ南部からカッセルまで、この制作にも駆けつけてくれたのである。山形プロジェクトでも、知らなかった者同士が仲良くなり、いまだに互いにつながっているという。まさに人の輪が広がりつづけているのだ。

地球はひとつ、みんなで綯う「縄の塔」

二〇一四年におこなった《NAWA Axis for Peace project》は、ニューヨーク・ロングハウスリザーブ彫刻庭園美術館で、地元の多様な人々と共に綯う平和への誘いプロジェクト《縄の塔》の制作である。

あらゆる人種の人々が暮らすニューヨークのマンハッタンで市民に呼びかけ、実現までに一年間の短さで可能となった。それは特に、ファイバーアートの潮流を世界的に推進してきたジャック・ラーセンの存在が大きい。一九七二年、ニューヨークで出会い、わたしをファイバーアート世界の登竜門であるローザンヌビエンナーレに、最初に推薦した人物だ。元ニューヨーク近代美術館学芸員のミルドレッド・コンスタンチンと共に、最大のわたしの芸術の理解者だった。彼が設立したロングハウスリザーブ庭園美術館につくられた芝生円形劇場ひろばを、《NAWA Axis for Peace project》のために、三年間提供してくれたのだ。そのひろばは、バックミンスターのフラードームやイサム・ノグチ、オノ・ヨーコ、デ・クーニング、デル・チウリーなどの多くの彫刻作品と、四季折々の景色を楽しめる庭園の一角にある。

《縄の塔》制作過程では、ブルックリンにあるテキスタイルアートセンターにて、その学生たちと、サンブレラ社から提供されたカラフルな帆布を、筒状に縫いあわせた。その筒状四本をロングアイランドのイーストハンプトンにある、ロングハウスリザーブ庭園美術館まで、四時間かけてトラックで輸送。

プロジェクトとして、《縄の塔》制作の参加者公募も、とても大事なプロセスであった。ニューヨーク在住の画家・川島猛夫妻のソーホーのアトリエに一週間ほど滞在させていただきながら、ロングアイランドのイーストハンプトン在住の人たちだけでなく、マンハッタンやブルックリンの人びとに呼びかけた。また、日本からも縄リンク男木島プロジェクト（二〇一〇年）で出会い親しくなった、川島猛ドリームフレンズ事務局代表の三井文博さんを中心にグループを組んで駆けつけてくれた。マンハッタンから総勢七十五名の移動のため、わたしはイーストハンプトンまでバスをチャーターすることにした。ボランティアで縄ロジークラブニューヨーク事務局を担当したウェンディ・ハンセンと日本側の事務局の津久井淑子さんや、日本で主に神戸・島根・山形・玉野・京都・高松などでの縄リンク・縄ロジープロジェクトに参加し、人のつながりから生まれた縄ロジークラブのメンバーと神戸高校の同窓生などのサポート。技術スタッフとして荻房男さんや松村学さんたち、そして、ロングハウスリザーブ創始者ジャック・レノール・ラーセンとマトコ・トミシック館長やそのスタッフに加え、多くの参加者なくしてはとても実現できなかった。

ニューヨーク　出会いを求め人から人へ、「人の縄」つくり

わたしはニューヨークに春の二ヶ月間、秋の三ヶ月間にひとり滞在しながら、縄ロジー哲学の理解と《NAWA Axis for Peace project》の実現に向け、人から人へ紹介を受けていく途方もない「人の縄」つくりからのスタートだった。チェルシーのギャラリーなどだけでなく、ブルックリンではカフェ、ブティックなどにも飛び入り、出会いを求めつづけていたある日、劇場でたまたま後部席から、お歳を召した女性から声をかけられた。彼女は最愛の娘をロス大地震の火災で亡くし、臨床心理療法士に変身した、元ミュージカル女優ドオ・ラングだった。彼女との出会いから、ハドソン川沿いの自宅を訪ねるようになり、メトロポリタン美術館学芸員やドイツ人のアートディーラー、ルッツ・ラスなどへと広がっていったのである。彼女は、すでに九十歳を超えていたが、《縄の塔》制作の当日、マンハッタンからチャーターバスに乗って、ロングハウスリザーブでおこなった、丸一日がかりの縄綯《な》い作業にも参加したのである。どこまでもポジティブで、生きる推進力に溢れた、ドオ・ラングの励ましにおおいに支えられ、亡母の姿を見たような気がした。

まさに一年間の制作過程は、何度も座礁に乗りあげ波乱万丈であった。実に煩雑な手つづきを踏んで申し込んだ、アメリカのアート支援基金や日本国際交流基金も、事前面接でほぼ大丈夫だとされていたが、ギリギリになって却下された。まだクラウドファンディングもそれほどポピュラーではなかった時期だ。わたしの集中力は、すでに猛烈に大きな渦巻きのピークになっていた。なぜなら、参加者、スタッフ全員の気運の渦をひとつにあわせ、盛り上げていくに必要なエネルギーは、並大抵ではなかったのだ。せっかく全員のエネルギーが旋回しだしている渦をストップさせたくなかったのである。台風の渦が大きさを増

《NAWA Axis for Peace》　2014年　制作風景　撮影：八木夕菜
完成後にはロングハウスリザーブ庭園美術館でコンサートも開かれた　写真提供：ロングハウスリザーブ庭園美術館

していくときに止められるだろうか。それで、縄ロジークラブメンバーや友人知人の募金と、ロングハウスリザーブのジャック・ラーセンやマトコ館長の計らいをあわせ、わたしは大きな手弁当で完遂する決意をしたのである。

全身全霊、精魂傾け、倒れんばかりのわたしを支えるため（いや実際ダウンした）、日本から息子も娘も駆けつけ、親子三人家族一丸となって当日を迎えた。

いよいよ《縄の塔》立ち上げの当日、さまざまな言語を背景に持つ、老若男女七十五名がひとつに心をあわせた。わたしの指揮監督を、息子がジョークを交えた進行で支え、帆布で縫いあわせた長さ十七メートルの筒状のストランド四本を、一本の巨大な縄に綯いあげた。ロングハウスリザーブの円形ひろばに、全員で高さ十メートルの《縄の塔》として、しかも人力だけで屹立させたのだ。みなの笑顔や歓声が忘れられない。ユタ州での一九九一年国連グローバルフォーラムで初めて縄ロジーを発表したとき、知りあったユニセフのレベッカ・リオス・コーンが、いつの間にか、縄綯いに参加していたサプライズがあった。二十年以上の時を超え、巡り巡った再会。縄ロジー哲学が時を経て具現した感動だった。世界はつながっている。クラウディア・ガンマの映像制作ユーチューブ動画「NAWA Axis for peace」でその様子を観ることができる。

未来の子どもたちへ

世界各地で紛争が絶えず、子どもたち始め多くの命が理不尽に失われている。決して暴力で怯《おび》えたくない。子どもたちが怯えることなく、安心して暮らしていける、地球にしていくためのプロジェクトとして、人種のるつぼと言われたニューヨークで、どうしても成し遂げたかったのだ。肌色も異なり言葉が通じなくても、一緒に汗し、ひとつのことを心あわせ成し遂げる感動が、きっと未来の子どもたちを救うことにつながるという信念からだ。太古の時代ではアーティストでなくとも、過酷な厳しい試練のなかで、一人ひとりが生きるためにクリエイティブに工夫し、一人より二人、さらに多くの人と助けあい、協力し乗り越えてきたのだから。本来は、人間として、クリエイティブに生きることが自然な姿であったはずである。子どもたちもだれでもみんな、本来はその力を持っている。隣人と向きあい、考え、対話し、分かちあい、自己に目覚め、他者に世界に目覚めていく。それが平和への道筋だと思う。ＡＩ兵器開発で競争するデジタルの世界は、今後どのようになっていくのだろうか。

　参加者の一人、マンハッタン在住のジェームズは、「みんなで肉体労働したことで、みんなが持っている和やかなエネルギーに触れ感動した」「助けあいの素晴らしい体験は未来への大きな希望」といい、メアリーは「国連でも行いたい」、若いジョンは「理工学系からアートに進路替えしたい」とそれぞれ輝いていた。

その後、ロングハウスから「Larsen World」というタイトルのＤＶＤが届いた。映像ではロングハウスリザーブ彫刻庭園美術館を成り立ちから紹介する中で、円形劇場の芝生の中心に立つ《NAWA AXIS for Peace》もジャック・ラーセン自身が紹介してくれている。九十歳近い彼が、四季折々の自然とアート、その相互の関わりを子どもたちに伝えていくために、庭作りから世界的アーティストの彫刻作品の選定まで手がけ、その全てが総合的な環境芸術となり、彼自身の長年の歩みの結晶となっている。ジャックが大切にしている芝生の円形劇場スペースはアイルランドのケルトの大地からヒントを得て作られた、ロングハウスの求心的スペースだ。その中央にみんなで立てた《NAWA AXIS for Peace》はますます多くの人々の求心力を集め、子どもたちのダンスやコンサートなどの場となっている。

　ジャックから「マリヨは次世代を鼓舞している。ありがとう」と、子どもたちの創作したメッセージカードが届いてほどなく、二〇二〇年暮れ、九十三歳で亡くなられた。ジャックとは五十年来の友人だったが、最後に恩返しができたように思う。

人と心のライフライン、京都・二十一世紀の新地軸

《京都縄バイタルリンク　二十一世紀―新地軸》は、地域の力をたぐりよせ、新世紀の地軸をたて、迎えるミレニアムを世界の人と心のライフラインを築こうと呼びかけたプロジェクトである。法然院貫主・梶田真章師がこのプロジェクトに賛同してプロジェクト副実行委員長となり、作品の素材に用いる、床から天井まで積み上げた古着Ｔシャツの保管部屋や、Ｔシャツのミシンがけ作業室、また、長い廊下を縄綯い作業にと、法然院内を数ヶ月間にわたって開放し資金援助までしてくださった。デイケア施設、精神科病院、共同作業所、保育園・小学校など、社会のバリアを越えて、国内外から延べ一万人ちかい自主参加

の力で、市庁舎前ひろばに高さ十一メートルの縄柱を立ち上げた。当初は市庁舎前広場の使用許可がとれず、近接の寺町界隈商店街など理解を求め挨拶にまわり、「松上げ、松明式、鞍馬の火祭、五山の送り火など伝統の火は許され、子どもや市民の火はなぜ認められないのか」と、当時、京都市教育長であった門川大作氏(現・京都市長)に申し、遂に認可が下りたという経緯であった。

二〇〇〇年十二月二十五日、その日は朝から雨、小雪となり、午後から快晴となるも、夕方には強風警報まで出た。自然現象が激しく渦巻いた一日だった。突然、強風から無風にきり変わった。静寂のとばりがおりるや、わたしたちは高く立ち昇る炎の柱を見守った。当時の京都市消防署長が自ら放水をしてくださった。炎と水の共演は見事だった。ビルの谷間に、空の穴が空いて、宇宙の螺旋と一体になった。あなたがいるからわたしがいる。半年がかりで大勢が汗し協働し、なしとげた縄・あなたとわたしの地軸を、一日で燃やしきった。シジフォスの神話のように、未来永劫、同じことを繰り返し作業しなければならな

《縄バイタルリンク2000京都 21世紀—新地軸》
2000年　法然院・京都市役所前広場
撮影：橋本正樹

いのか。えんえんと、二万一千着もの木綿だけの古着をつなげ、小縄、中縄、大縄と縄綯い作業をつづけたものだった。

やった分しかできあがらない。道筋が見えないことに進めない辛さ。ひとつになることの難しさ。目に見えて長くつながっていくことの面白さ。隣の人と初めての出会い、そばにいる、ここにいる幸せ。あの日にあなたに出会え、そこからまた何十人もの人たちと知りあえ、知らなかった世界を知った。参加した多くの人それぞれの想いを抱え込んだ縄の柱・二十一世紀の新地軸が、ようやく完成したのだ。縄の柱を建立した数時間後の夕暮れ、わたしは鴨川デルタで冬至に太陽の光から火起こしした火で、高さ十一メートルの縄柱に点火したのである。まさに、蟻が苦労して築きあげた巣を知らずに踏んでしまう、耐えがたい破壊。しかし生命の舞台は永遠に、破壊―再生―破壊しつづけている。縄のように生死は反復する。炎の縄柱は見守る人びとの心に、深く刻まれ、眼に見えぬ絆だけが残りつづけたはずである。目に見えないものの大切さが際立った。

イタリア・クワラッタビエンナーレ《NAWA LINK》やエストニア縄リンクなども含め、まだまだ事例にあげたいプロジェクトはあるが、ページは足りない。しかし、各々の地域でおこなってきた縄リンクプロジェクトは、確実に、「あなたとわたし＝縄《なわ》」というスピリチュアルネットワークを構築しつづけている。見知らぬ同士であった者同士が、違いに意見交換しながら各々に親しくなって、新たにネットワークでつながってきている。不思議なほど内面から活力が湧いてくるのだ。

さまざまなかたちで、心がひとつになる《縄の塔》《NAWA Axis for Peace》は、目に見えないエネルギーパワーを発する。各々の、よって立つ「場」「地」に根をおろしながら、他者、人の心がひとつになる体験は、何をもまさるのである。

おわりに――縄は最古・最新の世界共有文化遺産

縄の文明

人類の手から初めて火が生まれ、強い縄が生まれた感動！　そのとき、人類はどんなに喜び、感謝したことだろう。

火を囲んだであろう、ストーンヘンジやカルナック列石群、ケルトのドルメンなど、強固な石はわたしたち現代人も目にすることができるが、古代の縄はアイスマンの遺物などからようやく直に目にできる程度である。男性神の権威と権力を永遠に象徴する石によって、ピラミッドなどを築いてきた西洋文明は、森を破壊し、大地をめくり剥がし土を失くして、むしろ破壊への道をたどってきたといえるのではないか。

堅固な石でも風化すれば、こなごなの砂塵となり、人の手で元の石には戻らない。しかし、縄は違う。縄は朽ち、擦り切れ短くなっても、継ぎ足し長い縄に綯《な》いなおし、人の手で再び蘇らせ、有用な縄に生まれかわる。一本の縄があれば事足るのだ。

この地球に石の文明、木の文明などが芽生えてから、さまざまな文明の衝突が起き、人類唯一第一、自分唯一第一、自国唯一第一と叫んでいる。肉体を持つ生きものとして、人間の幸福とはなんだろうか。人間は何を望み生きていこうとしているのだろうか。この地球において人間の責任とはなんだろうか。

他者を助けて、初めて自己も存在でき、自己が存在することで、他者も存在することができる。両者ともに存在不可欠であることを「縄」は教えている。あなたがいて、初めてわたしもいるのである。あなたがいて、初めてわたしもいる、一本では縄にはならないが、二本集まれば初めて縄になるのだ。

　他の生物と同じように、人間は一人ではなく集団で生きる知恵を持ち、集団で助けあい、協力し、団結する力を備えてきた。地球がまだ荒々しく生々しく地殻変動をしていた時代に、人類は生きぬく術を切磋琢磨し、人間同士助けあう力を培ってきた。そして、気の遠くなるような年月をかけ、みんなが力をあわせ、巨石や大木を「縄」で曳《ひ》き、集団の心が結集する、宇宙信仰の神殿ともいえるような神聖な「場」を築いてきたのである。原初の人間は、結束力、想像力、創造力、洞察力など計り知れないほど、高度な能力があるとしか言いようがない。

　人類の今までの文明はなんだったのか。あまりにもエゴイスチックに、横暴な振る舞いをしてきた人類に対して、まるで食糧危機で人口削減をするかのごとく、新型コロナウイルスが世界を席巻している。人間は肉体から離れられない。ロボットのように部品化し、部品取り替えもできない。しかし、臓器移植やＡＩ医療で肉体改造が可能だとされる。まるで九十パーセントの人間に効果があるといわれるワクチンのように、ＡＩによる癒しの音楽やＡＩ芸術などによって、人間の情緒がひとくくりにされても、残りの十パーセントに、そこからはみだす情緒を持つ人間がいるだろう。自分自身の分身・アバターをつくる技術にも目をみはる。果たして、ＡＩ技術で、人格も含め、そっくり丸ごと人間一人をつくり変えることはできるのだろうか。地球に生まれた人間の生命をつかさどる身体の仕組みは「妙」としかいいようがない。一方、非生物ウイルスは細胞を持たず、他の生物を利用し増殖する生命体であるが、植物を守りながら他の生物を助け、地球環境を維持する役目のほか、ヒトの胎児を守っていることもわかっている。そして、人間の身体に内在もしている。外部環境にいるウイルスはさらに変異を繰り返し、増殖する場を求め、人間の内部環境・身体に忍び込む。ウイルスの猛攻は、生態系を破壊してきた人類へのしっぺ返しという考察があるが、根本に人間中心の傲慢が見える。非生物ウイルスは、三十八億年前からこの地球に存在し、人類よりはるかに先住民なのだ。西洋文明がもたらした科学技術の力は大きいが、これらのテクノロジーによる発展を望むだけで、解決策はあるのだろうか。わたしたちはあらためて、生きものはじめ、人間の身体の「妙」と、あらゆる生命体、生物・非生物が生まれたこの地球自体の存在について、目を見開いて考えなければならない。他の生きものもおそらくそうであろうが、病苦や惨禍の苦など、どんなに苦しみ尽くそうとも、人間の意識とは無関係に「生命」は泰然と進み、悠然と螺旋回転し続けているのである。

太古の人類は、「なわ」の深い意味や道理、知恵を学び、縄がもたらす恩恵により、人間の魂、精神、物理的な時空をも満たしてきた。しかし、巨石遺跡やピラミッドを築いた「石の文明」よりはるか前に、人類は最初に「縄の文明」を築き、長いあいだ、縄の文明があったのである。それにもかかわらず、この事実を西洋文明の栄光の影で、現代人は気づかずに見逃してきた。その後、どのような文明が盛衰しても、根底には、「縄の文明」が脈うちつづけているのである。

人類が発明した「縄」は、世界最古の人類共有の文化遺産として、何万年もの間、現代に至っても、民族、宗教、国、文化の違いを超えて、人類を物理的にも精神的にも支えてきた。この縄の文明は、あらゆる人間が宇宙、地球、あらゆる生命とつながっていることを示し、優しく、しなやかに、平らかに生きぬく文化を創造する。

世界の誰もが知り、使い、恩恵を受けてきた、「縄」というメディアこそが、世界で唯一、現代人に指針となる、真のメッセージを伝えられると信じる。他にそのような人類共通の、最古で、最新のメディア

《大地母神の邂逅》　2020年　玄武岩（伊達冠石）、荒野州麻縄
130×210×110cm　ポーラ美術館遊歩道入口常設　撮影：八木夕菜

はあるだろうか。

宇宙は螺旋から始まったといっても過言ではない。ミクロ、マクロの自然界に対し、人類が宇宙の螺旋として縄を発明し、そこから縄の文明が始まったのである。そして、未来につなげるには、縄が発信するメッセージをますます学び、地球の存続と平和な縄の文明をさらに築いていきたい。この縄ロジーが一助となればと願う。

今まで「縄」について考察してきたように、男性神性の石の文明に対し、縄の文明は女性神性である。男性、女性それぞれの優位性の問題では全くない。「縄」は物理的な機能よりはるかに、人間の霊性や直感、霊魂の自由、叡智、生命の源を教示する。他者と連帯する心や、わかちあう喜び、儚《はかな》いもの、弱きものを見捨てず、違いをそのまま、まるごと抱く愛の深さを示し、生命動体・エネルギーを宿しつづけている。

世界には古代神話で、宇宙の基礎として、天は父、地は母と、天地の配偶神による天地創造、世界創造がある。万物の母なる大地を崇拝し、大地母神と崇めてきた。大地は水も支配し、豊穣の作物を生みだし、草や樹木が森を生み、人間に命を与えてきた。母的生命を育んだ、母なる大地を生んだ地球、宇宙。その大地の草や木から縄が生まれたのだ。人類は神話創造の前から、その縄を発明したのである。それこそ人類の偉大なる大発明だったのだ。縄は大地母神のシンボルと見立てることができる。なぜなら人類に愛溢れるスピリットと、あらゆる豊かなくらしの基礎を支えてくれたのだから。大地母神は地底の神であるように、上表面に出ず、地下深く縁の下から、しなやかに、しかも強く支え助ける。「縄」は無償の愛のように、人間の心豊かな感性をもたらし、平和に生きる道を示すのである。

《大地母神の邂逅》作品と「地殻を辿る」二人展

わたしは二〇二〇年暮れ、箱根のポーラ美術館・ヒメシャラの森遊歩道入口に、サイトスペシフィックアート作品として《大地母神の邂逅》と題する、荒縄造形と伊達《だて》冠石《かんせき》の原石の作品を完成させた。人類が縄を綯う技を発明してから二百万年ものあいだ、火・エネルギーと同様に、人類生存の核として縄の文明を営々と築きあげてきたその縄に対し、遥か何億年もの時空を超え、地球の歴史を凝縮した玄武岩の遭遇は、現代の人類に何を語ろうとしているのか。「自ら然り、人のはかり及ばぬ自然のままに」、わたしは《大地母神の邂逅》を制作した。

伊達冠石は世界中でも宮城県丸森町の大蔵山スタジオ（五代目・山田能資社長）でしか採れない珍しい玄武岩。イサム・ノグチも愛した石だ。マグマから地上に噴出し、また海に沈み酸化し、また隆起し、圧縮や風化を繰り返した玄武岩である。わたしが新たに考案、進化させた縄の構造手法で、晒していない自然のままの野州麻の緒を綯った荒縄と、その原石が時を経て邂逅した瞬間の作品である。松村学さんと石工技術者の我妻剛伸さんとの三人で、蔵王山を望む大蔵山スタジオで制作した日々は楽しい想い出となった。縄も石もなんの作為も見えない、「別に工夫なし」の作品を完成させたつもりだ。

二〇二二年早秋、ポーラミュージアムアネックスで金沢21世紀美術館チーフ・キュレーターの黒澤浩美氏をゲスト・キュレーターとして迎えた「地殻を辿る」展（現代美術家・八木夕菜との母娘二人展）が、ポーラ美術館理事長・鈴木郷史氏の立案で開催された。同年二月の侵攻からの戦争に対応する東西世界全体と人類への心痛から始まり、地球自体への心痛が深まり、二十二年間向き合ってきた末期血液癌の一種がまたも暴れだし、わたしの霊魂はユーラシア大陸の「へその地」へと飛んでいった。そのバイカル湖付近、東経一一〇度・北緯五〇度地点での体感、血液が隅々まで滞留し細胞が沸き立った感覚は、まさに鉄の惑星・地球の核とつながり、まるでわたし自身が地球自体になったようであった。宇宙から鉄の惑星として誕生した地球。地球の生物誕生に関わった鉄、そしてヘモグロビン。鉄なくして生命はない。血液はまさに地球、宇宙の一部なのだとつくづく思った。

同じ年の十一月三日・文化の日、北野天満宮で催された曲水の宴に娘の夕菜が和歌の詠者の一人に選ばれた。雅な白拍子の舞に続いて、曲水に杯が流され、詠者それぞれの漢詩・和歌が披講される。夕菜に与えられた兼題は「賀」。母娘二人展「地殻を辿る」で、母の創作意欲を目の当たりにし、長寿を願わざるをえない想いを青き御空に託したという。

母と子の二人展なすこの秋の　高き御空に母を寿ぐ

突然のことで心震え、わたしの涙で青空が滲んだ。長年の思いに対して、わたしのなかではどんな時も「闘う」という文字はなく、「共生」だった。しかし、この展覧会の制作においては「闘う」わたしになっていた。娘の歌はきっと御空に届いたことだろう。

そして、クリエイティブプロデューサー・アーティストとして活動する息子の八木ジンも、この展覧会にコメントを寄せてくれた(以下、部分引用)。

「現代社会に欠かせない原油　この［自然発生した素材］がどのようにして出来ているのか」「何十億年前に生きていた生物が集まって蓄積されて　今の現代社会の核となる燃料になっている　正に昔の生物によって社会が動き　生かされていることがわかる」「八木マリヨ、八木夕菜による二人展は正に［地殻を辿る］辿っただけでは　なくなっていたような気もした　現在から一万年前の世界を想像出来る旅でもあり、逆に二千万年後の世界に思いを馳せる　創造・想像力を感じさせるものでもある気がした」「自分たちが死んだ後は　化石燃料になるかもしれない　一万年後、数億年後の　どこかの星の病気を治すような　薬の素材になるかもしれない　なんて想像を膨らませることが出来た」

《鉄の惑星—東経110度・北緯50度　二千万年後》
2022年　鉄鋼　65×100×850cm　個人所蔵　撮影：八木ジン

ジンは夕菜の一歳二ヶ月年上の兄だが、父親のように、保護者のように妹を包み見守り、また妹をこよなく敬愛している。とても仲の良い兄妹なのだ。彼はオープニングで感涙し、妹と母を抱きしめてくれた。二人とも各々の活動でご縁をいただいた方々の中で、「八木マリヨ」を知っている方でも、「八木ジン」が、「八木夕菜」が、わたしの息子と娘とは知らずに、「なんだ、そうだったの!」と驚かれる。まるで三本撚り縄の如く、一人ひとり個々に自転し、一つの縄になっているかのような親子だ。まさに子どもたちあっての私である。わたしはなんと幸せな母親であろうか。

今年でわたしは難治性癌のまま二十三年目を迎えた。山あり谷あり、いくども甦ってきた。「医学の域を超えた、不思議なエネルギーのような何かがあるとしか思えない」と、かつて、主治医は涙されたことがある。まさに、わたしは近作の《大地母神の邂逅》と、最近作である《鉄の惑星―東経一一〇度・北緯五〇度　今》《鉄の惑星―東経一一〇度・北緯五〇度　二千万年後》で、その何かを表現したと思う。思いは尽きないが、終わりに散文詩を紹介したい。

縄の構造から生命の根源への旅路

むかし婆さんは言った
蜘蛛の糸が垂れる産小屋で
産縄にすがって子を産んだ
宇宙の物質輪廻
燃えつきた恒星の宇宙塵から
新たな恒星が生まれる無限の循環
朽ち果て土に還る縄
塵縄からも再生できる性質の縄は
無限に繰り返す螺旋運動体物質
宇宙の物質から生まれた生命も
死の螺旋運動のなかで宇宙の塵に還る

あの世からこの世へこの世からあの世へ廻る
生死の界の輪廻
母的宇宙　コスミックマターナル　生死を抱擁する
縄・汝《な》我《わ》・螺旋のダイナミズム
縄の構造
撚りをかける螺旋回転の力が強いほど
縄の中芯は静謐　静止　不動の空洞
渦巻銀河の中空構造と縄の中空構造は同じ
中芯の臍が静かに動じない空洞だからこそ
凄まじい螺旋運動の核芯になれる

銀河の螺旋回転のリズム
〝生きもの〟の増殖リズムと
シンクロする身体の螺旋
生命遺伝子ＤＮＡも空洞を中芯に
二重《ふたえ》で向きあう螺旋
縄の原理も同じ
宇宙の鼓動は頭天の毛渦へ　毛渦から胎内空へ
胎内空から地底へ
地底からマグマへ　マグマから地球惑星を突抜け
母的宇宙へ馳せる
新たなる神話へ
縄・汝我《なわ》は融合すれば永遠に縄の存在はない
相克する汝と我のエネルギーが相生し
撚り合ってこそ生まれる縄・汝我《なわ》
身体心が無空であれば往来自由
存在の根源に宇宙生命エネルギーはつづく

《鉄の惑星―東経110度・北緯50度　今》　鉄切断面のディテール
2022年　鉄鋼　41×120×235㎝　個人所蔵　撮影：八木ジン

ジン、夕菜と親子三人で

謝辞

「さしすせそたちつてと」の発音がうまくできない口下手な女の子だった。ひとり遊びや自分ひとりでいるほうが心地よかった。「マリヨちゃん、こっちへおいで、わたしらと遊ぼっ」と、こっちあっちと手を引っぱられ、いつのまにか目の前が広がっていた。

わたしは人生の逆境に立っても、そのままを素直に受けとめ、ポジティブに前に向かって懸命に努力することしか知らなかった。そうして万策尽き窮地のたび、まるでカミさまの計らいかのように、自然に手を差し伸べる人たちが現れ、救われてきた。日本だけでなく、言葉の通じない世界のどの地にいても。また、見知らぬ人の善意に助けられ、偶然の出会いから何年も過ぎ越しているのに、国境を越え、心通わせ続ける人々もいる。もちろん作品制作や縄ロジープロジェクト活動だけではない。実に実に、多くの人々の出会いに恵まれ、助けられ支えられて今日がある。わたしの知らないうちに、息子も娘も多くの方々にお世話になって感謝しきれないほど。

たいへん遅ればせながら、ここにあらためて深く厚く感謝申し上げます。

初めての書き下ろし本出版にあたり、淡交社編集者の森田真示さんにお会いした瞬間、アーティストの感性や熱い想いを読み解かれる方だと直感し一年。皐月の蒼空の下、最期の覚悟もした入院三日前に編集原稿を持参され、何度も校正を病院に届けてくださった。「縄ロジー」は、心と思索の生き越したわたし自身の身体そのもの。二十四時間点滴に繋がっているわたしに「縄」の生命螺旋エネルギーが廻りはじめた頃、森田さんはわたしの体調推移を鑑みながら、納得いくものへと作業進行を配慮されたのです。そうして、入院中の原稿推敲は、わたしにとって大切な治療のひとつとなり、驚くべき奇跡の快進となりました。「縄」が再びわたしの生命を甦えらせ、人間味溢れる森田さんの編集力によって、初本をこの手にする運びとなりました。感謝の極みです。また、わたしの限りない要望に、共に応えて下さったデザイナーの大西未生さんに心より感謝申し上げます。

皆さま、友人、家族、みんな「ありがとう」――。

二〇二三年十月

八木マリヨ

左頁　「地殻を辿る」二人展より、八木夕菜の写真作品《surface #1》（壁面）と、《鉄の惑星―東経110度・北緯50度　二千万年後》　撮影：八木夕菜

主要参考文献

ミルドレッド・コンスタンチン、ジャック・レノール・ラーセン共著『Beyond Craft Art Fabric』

小野高裕・西村美香・明尾圭造著『モダニズム出版社の光芒　プラトン社の1920年代』明尾圭造「雅俗を遊ぶ　編集者松阪青渓とその軌跡」（淡交社）

松阪青渓編「郷土研究　上方」復刻版　四号「酒興漫筆」七号「夏祭と酒興」二二号「桜時雨雨情」二八号「春雨草紙」

街路樹社「青い苔」「街路樹」「京洛林泉古寂」「慈雲尊者」「斑鳩詩情」「茶の大徳寺」など

ドナルド・E・カー著『性の生態学』（講談社）

三木成夫著『胎児の世界』（中央公論新社）

芦津丈夫著「母なる自然」（「理想」593号／理想社）、「ゲーテの螺旋表象」（「モルフォロギア」10／ナカニシヤ出版）

岩田慶治著『コスモスの思想』（岩波書店）、『草木中魚の人類学』（講談社）、『花の宇宙誌』（青土社）

Theodore Andrea Cook『The Curves of Life』

ジル・パース著『螺旋の神秘』（イメージの博物誌7／平凡社）

宮崎清著『藁』（ものと人間の文化史／法政大学出版局）、『図説藁の文化』（法政大学出版局）

額田巌著『ひも』『結び』（ものと人間の文化史／法政大学出版局）、『日本の結び』（講談社）、『結びの文化』（東洋経済新報社）

広瀬立成著『超ひも理論と「影の世界」』（講談社）

フリッチョフ・カプラ著『タオ自然学』（工作舎）

佐藤勝彦著『図解　相対性理論がみるみるわかる本』（PHP研究所）、『宇宙はわれわれの宇宙だけではなかった』（同文書院）

金子務・山口裕文編著『照葉樹林文化論の現代的展開』（北海道大学出版会）

クリストファー・ロイド著『137億年の物語』（文藝春秋）

山内一也著『ウイルスと地球生命』（岩波書店）

ウォルター・ソーレル著『人間の手の物語』（筑摩書房）

佐原真著『斧の考古学』（東京大学出版会）、『考古学千夜一夜』（小学館）

ガストン・バシュラール著『火の精神分析』（せりか書房）

岩城正夫著『原始時代の火』（新生出版）

渡辺格著『生命のらせん階段』（文藝春秋）

多田富雄著『生命の意味論』（新潮社）

中村桂子著『自己創出する生命』（筑摩書房）

ロバート・ポラック著『DNAとの対話』（早川書房）

福岡伸一著『動的平衡』（木楽舎）

河合隼雄著『中空構造日本の深層』（中央公論新社）

吉野裕子著『蛇』（法政大学出版局）、『山の神』（人文書院）

小山修三著『縄文学への道』（日本放送出版協会）

ロバート・C・モーガン著「Shared Awareness　わかちあいの目覚め―八木マリヨのビジョン」（「world sculpture vol.20」）

ミルチャ・エリアーデ著『大地・農耕・女性』（未来社）

岡田康博・小山修三編『縄文鼎談　三内丸山の世界』（山川出版社）

日本文化デザインフォーラム編『拡張するデザイン』（団談文庫1）竹村真一・松岡正剛・八木マリヨ・養老孟司「宇宙のデザイン原理」／『外在化する脳』（団談文庫8）竹村真一・大岡玲・津村喬・八木マリヨ・山根一眞「ガイアネットワーク」（栄光教育文化研究所・悠思社）

八木マリヨ　略歴

環境芸術家、彫刻家、人文学名誉博士。

１９４８年、父・八木康吉、母・富枝の長女として兵庫県神戸市に生まれる。母方の祖父に、上方文化を支えた編集者で文化人の松阪青渓がある。１９７０年、京都市立芸術大学卒業。１９７２年、京都市内の仏具店で目にした麻縄に衝撃を受け、以後、縄をテーマとした芸術作品の制作に打ち込み、縄の原理を解き明かす中で独自の《縄ロジー／ＮＡＷＡＬＯＧＹ》を打ち立て、これに基づく社会活動もおこなう。

１９７０年代、イタリアでディーノ・ガビーナ、カルロ・スカルパと照明、家具デザインを手がける。また、高松とイタリアのアトリエにてイサム・ノグチに師事し、大地を彫刻する思想に影響を受ける。１９８０年代に土木建設業の資格を取り、公園、庭や広場のランドアートスケープ、噴水彫刻など、国内外にパブリックアートを制作。巨大な縄彫刻の作品などで世界各地の国際展に出品、受賞も多数に及び、国際的に活躍。リオ・アースサミットや阪神大震災の被災地・神戸などの世界各地で、協働制作による『縄バイタルリンクプロジェクト』を社会芸術と称し、人と人の絆を生むボーダレスのネットワークづくりを展開している。

ドイツ政府学術ＤＡＡＤ招聘。国際交流基金助成、ブラジル・アースサミット、エストニアで「縄ロジー」展。元カナダ政府客員教授。

１９９９年、アナハイム大学より人文学名誉博士号を授与される。

〔主な所蔵〕

ローザンヌ州立美術館・ベリリーブ美術館／スイス、東京国立近代美術館工芸館（現・国立工芸館）、モレリア州文化会館／メキシコ、ノールディランド美術館／デンマーク、ブラジリア国立美術館・リオデジャネイロ国立美術館／ブラジル、クリーブランド美術館／アメリカ、など。

〔主な受賞〕

京都府文化功労賞（２００３年）、イタリアグッドデザイン賞、サンフランシスコ版画展銅賞、フランスアーバンアート賞、豊中市都市デザイン賞、など。

〔主な著書〕

『環境創造・維持管理・復元技術集成』総合ユニコム　共著

『照葉樹林文化論の現代的展開』北海道大学図書刊行会　共著

『生命の形・身体の形　形の文化誌３』工作舎　共著

『くるくるくるん』（ちいさなかがくのとも）福音館書店

『おひさまはいつも』（ちいさなかがくのとも）福音館書店

『拡張するデザイン』『外在化する脳』日本文化デザインフォーラム編

団談文庫１・８　栄光教育文化研究所・悠思社　共著　など

生命の螺旋　縄の哲学・縄ロジー
アーティストの思索と創造の軌跡

2023年12月13日　初版発行

著者　　八木マリヨ
発行者　伊住公一朗
発行所　株式会社 淡交社
本社　〒603-8588 京都市北区堀川通鞍馬口上ル
営業075-432-5156　編集075-432-5161
支社　〒162-0061 東京都新宿区市谷柳町39-1
営業03-5269-7941　編集03-5269-1691
装訂・組版　大西未生（株式会社 ザイン）
印刷・製本　株式会社 サンエムカラー

ISBN978-4-473-04559-1